JN115160

# Begin
# To
# Study
# KOREAN 1

HAKUEISHA

## 言語の名称と文字の名称

日本では、「韓国語」「朝鮮語」「コリア語」などと呼ばれています。文字の名称は「ハングル」です。

## 「ハングル」文字の成立

「ハングル」文字は、1443 年に朝鮮王朝第 4 代目の王であった世宗（セジョン）の命により創られ、1446 年に『訓民正音』という書物の中で公布されました。
「ハングル」という名称は、近代の朝鮮語学者であった周時経（チュ・シギョン）が名付けたものと言われています。「ハングル」は文字自体を指し、言語を指す用語ではありません。

## 言語の特徴

- ✓ 日本語と語順が同じです。
- ✓ 助詞があります。
- ✓ 敬語体系を持っています。
- ✓ 語彙には、「固有語」「漢字語」「外来語」「混種語」の 4 種類があります。

| チョ ヌン | パスタ ルル | モッスムニダ |
|---|---|---|
| 저는 | 파스타를 | 먹습니다. |
| 私は | パスタを | 食べます。 |

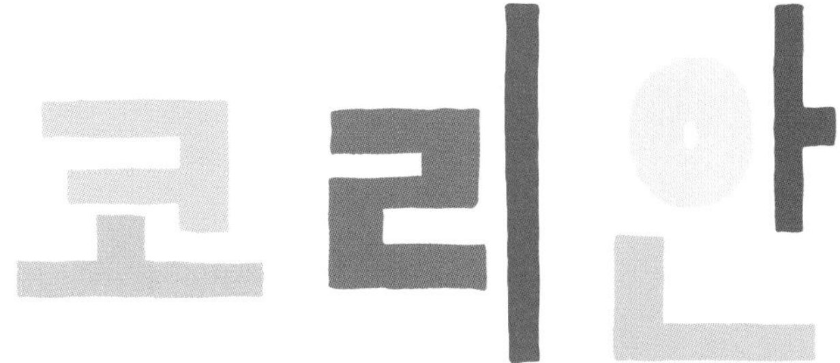


## ハングルの仕組み

ハングルは、ローマ字と同じく子音を表す子音字（19 個）と、母音を表す母音字（21 個）があります。ハングルの１文字は、
「子音字（初声）＋母音字（中声）」、または
「子音字（初声）＋母音字（中声）＋子音字（終声）」の２パターンがあります。

「KOREAN」をハングル文字で書くと「코리안」となりますが、それぞれ、以下のように構成されています。

# まえがき

本書は、大学などで初めて韓国語を学ぶ学習者のために作成したものです。学習者の皆様に楽しく学んでほしいという思いを込め、『Begin To Study KOREAN 1』と名付けました。多くの総合テキストとは異なり、実践的な学習ができるのが本書の特長です。

第1に、豊富なイラストを用いることで、視覚的にイメージしやすい学習を目指すようにしました。単語の意味や会話の場面をイラストから連想することで、より学習を深められます。また、文法項目の説明も、どのような変化が起きるかをハングルの手書きで示し、理解を促します。

第2に、初級レベル（ハングル検定4、5級およびTOPIK1、2級）の単語や表現、文法の学習とともに、他の総合テキストで学んだ内容の応用練習ができるように工夫しています。文型練習になりがちな学習書とは異なり、さまざまな練習問題を解くことで、実践的な会話練習ができるように心掛けています。とりわけ、会話練習Ⅰ&Ⅱでは、提示されている単語を使って会話文を作れば、自然と会話ができるので、楽しく学べます。

本書のイラスト作品は、すべて九州産業大学の田承爀教授及び学生の皆様のご協力を得て描いていただいたものです。ここに記して感謝申し上げます。

最後に、本書の出版をご快諾くださった日本法人博英社の中嶋啓太代表取締役をはじめ、詳細な構成や表現を確認してくださった西田明梨氏、編集部の皆さまに心より感謝申し上げます。

2023年12月　著者　金庚芬・尹秀美

メインイラスト : 山元 侑瞳 ( 九州産業大学芸術学部ビジュアルデザイン学科 )
サブイラスト : 福澤 七碧、前田 松璃、渡邊 美希 ( 九州産業大学芸術学部ビジュアルデザイン学科 )
インデザイン編集、イラスト草案監修 : 田 承爀 ( 九州産業大学芸術学部ビジュアルデザイン学科 )

**音声ファイルは、**

QRコードをスキャンするとご確認いただけます。

＊各課の右上にあるQRコードからは、単語の意味が確認できます。

# もくじ

## 文字編



## 会話編

# Begin To Study KOREAN 1

## 文字編

# 1 母音：単母音

ㅏ ㅣ ㅡ ㅜ ㅐ ㅔ ㅗ ㅓ

▶ 1

아 [a] 아

이 [i] 이

으 [ɯ] 으

우 [u] 우

애 [ɛ] 애

에 [e] 에

오 [o] 오

어 [ɔ] 어

---

**1)** 発音してみましょう。

1 아 아 이 어 어

2 오 오 으 우 우

3 어 어 오 어 오

4 으 우 이 으 우

5 이 애 으 우 에

6 으 애 에 어 이

**2)** □にハングル文字を書いて、日本の地域名を完成させましょう。

**3)** 発音しながら書いてみましょう。 ▶ 2

**4)** 音声を聞いて、正しいイラストに○をつけましょう 。 

1

2

3

## 会った時のあいさつ

4

안녕하세요 ? ( アンニョンハセヨ )

안녕 ? ( アンニョン )

## 2 子音（初声）：鼻音、流音

# ㅁ　ㄴ　ㄹ

▶ 5

**ㅁ** [m]

마　미　므　무
매　메　모　머

**ㄴ** [n]

나　니　느　누
내　네　노　너

**ㄹ** [r]

라　리　르　루
래　레　로　러

**1)** 発音してみましょう。

① 마 머 매 머 마　　② 므 미 모 머 메

③ 노 너 누 나 네　　④ 느 니 내 누 너

⑤ 러 로 러 레 로　　⑥ 루 래 리 라 르

**2)** □にハングル文字を書いて、日本の地域名を完成させましょう。

**3)** 発音しながら書いてみましょう。 ⊙ 6

**4)** 音声を聞いて、正しいイラストに○をつけましょう。 ▶ 7

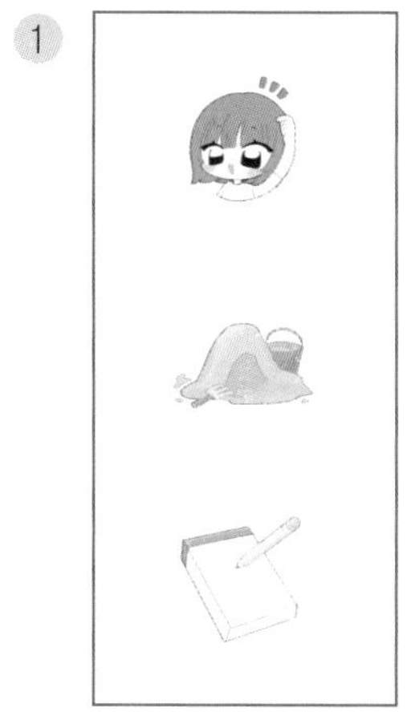

## 別れのあいさつ ▶ 8

안녕히 가세요 . ( アンニョンヒ　ガセヨ )

안녕히 계세요 . ( アンニョンヒ　ゲセヨ )

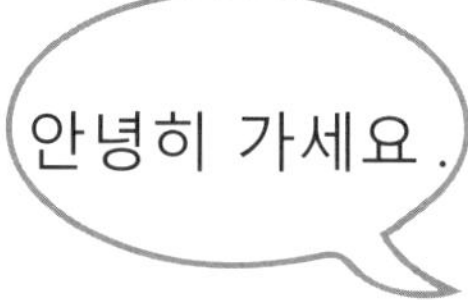

안녕히 계세요 .

안녕 . ( アンニョン )

안녕 .

안녕 .

単語

## 3 子音（初声）：平音

**ㅂ　ㄷ　ㅈ　ㄱ　ㅅ**

▶ 9

| | | | | | |
|---|---|---|---|---|---|
| ㅂ | [p, b] | 바 배 | 비 베 | 브 보 | 부 버 |
| ㄷ | [t, d] | 다 대 | 디 데 | 드 도 | 두 더 |
| ㅈ | [tʃ, dʒ] | 자 재 | 지 제 | 즈 조 | 주 저 |
| ㄱ | [k, g] | 가 개 | 기 게 | 그 고 | 구 거 |
| ㅅ | [s, ʃ] | 사 새 | 시 세 | 스 소 | 수 서 |

dad

jazz

gag

**1)** 発音してみましょう。

① 바 다 자 가 사

② 바 더 조 그 시

③ 스 기 주 도 브

④ 다 내 도 누 데

⑤ 므 브 버 머 보

⑥ 서 저 소 조 서

⑦ 비버　대드　개그　재즈　스시

**2)** □にハングル文字を書いて、食べ物の名前を完成させましょう。

스 시

사 이 다

바 나 나

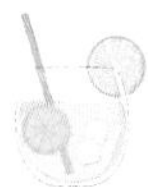

레 모 네 이 드

오 므 라 이 스

우 메 보 시 오 니 기 리

주 스

소 바

**3)** 発音しながら書いてみましょう。 10

바다

버스

자두

도시

지구

재즈

고기

개　　새

소바

무지개

아버지

**4)** 音声を聞いて、正しいイラストに◯をつけましょう。 ⓘ 11

1 

2 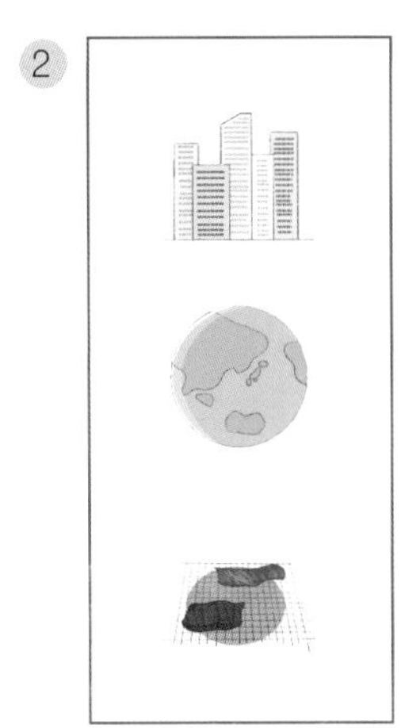

3 

## 感謝のあいさつ ⓘ 12

감사합니다 . ( カムサハムニダ ) / 천만에요 . ( チョンマネヨ )

고마워 . ( コマウォ ) / 아니야 . ( アニヤ )

# 4 母音：半母音1

ㅑ ㅠ ㅒ ㅖ ㅛ ㅕ

13

야 [ja]

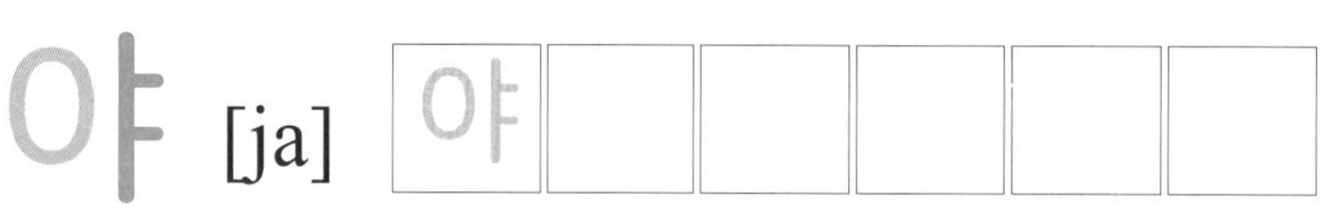

유 [ju]

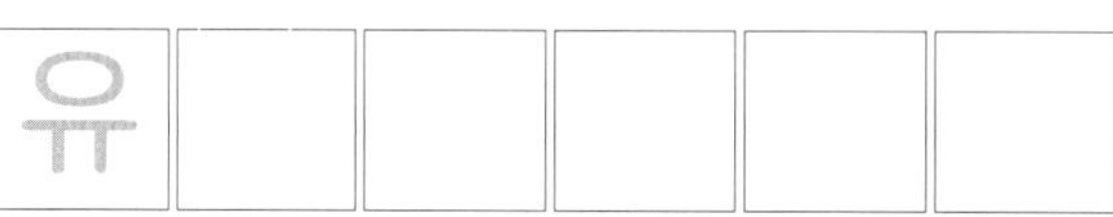

얘 [jɛ]

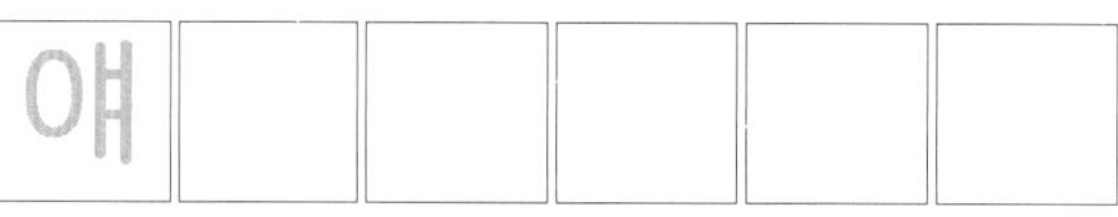

예 [je]

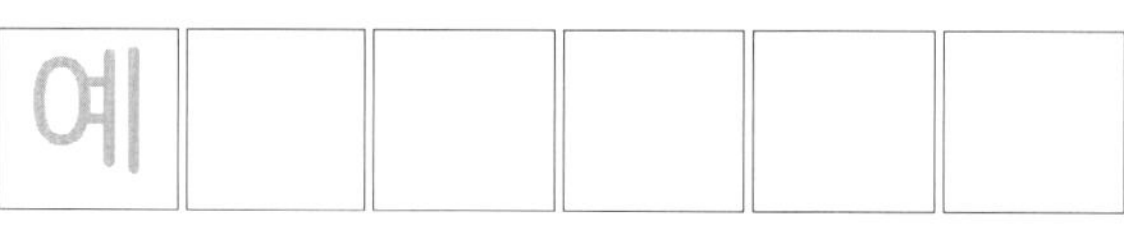

요 [jo]

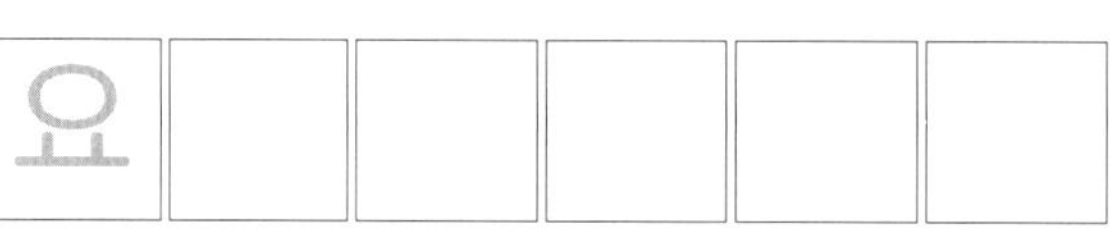

여 [jɔ]

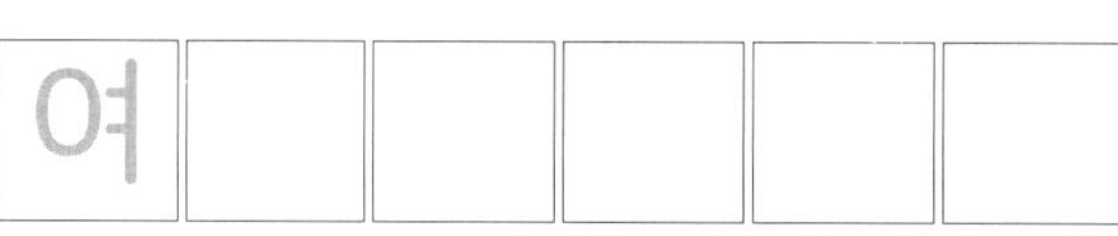

# 5 母音：半母音 2

ㅘ ㅙ ㅚ ㅝ ㅞ ㅟ ㅢ

14

와 [wa] 와

왜 [wɛ] 왜

외 [we] 외

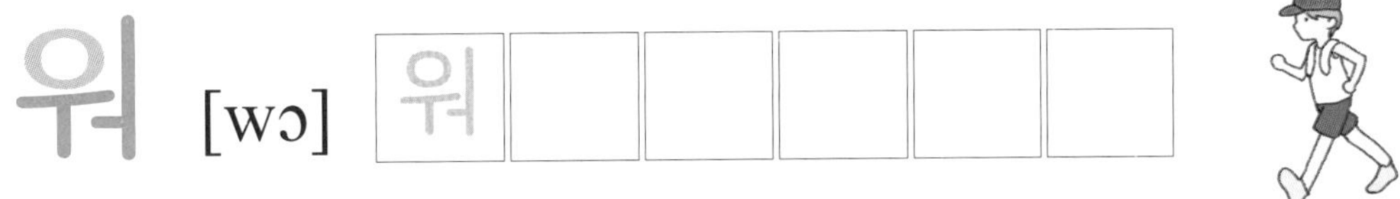

워 [wɔ] 워

웨 [we] 웨

위 [wi] 위

의 [ɯi] 의

**1)** 発音してみましょう。

| | | | | | | | | | | | |
|---|---|---|---|---|---|---|---|---|---|---|---|
| 1 | 야 | 여 | 요 | 여 | 야 | 2 | 요 | 여 | 유 | 예 | 얘 |
| 3 | 와 | 워 | 위 | 의 | 외 | 4 | 왜 | 외 | 웨 | 외 | 왜 |
| 5 | 가 | 갸 | 가 | 갸 | 가 | 6 | 뉴 | 묘 | 류 | 뇌 | 뭐 |
| 7 | 봐 | 쇠 | 귀 | 둬 | 죠 | 8 | 뷔 | 냐 | 뤄 | 돼 | 려 |

**2)** □にハングル文字を書いて、ニュースのキーワードを完成させましょう。

[뉴][스] キーワード

[야][요][이] 集落発見！

[디][아][이][와][이] 楽しむ人増えている！

ビーチで[요][가]と清掃イベント！

ＧＷは人気店の限定[메][뉴]を！

[스][위][스]スキー大会で[노][르][웨][이]が優勝！

[뉴][웨][이][브]ミュージック人気！

**3)** 発音しながら書いてみましょう。 ▶ 15

| | | | | | | | | | | | |
|---|---|---|---|---|---|---|---|---|---|---|---|
| 예 | | | | | | | | | | | |
| 야 | 구 | | | | | | | | | | |
| 요 | 가 | | | | | | | | | | |
| 메 | 뉴 | | | | | | | | | | |
| 샤 | 워 | | | | | | | | | | |
| 돼 | 지 | | | | | | | | | | |
| 워 | 드 | | | | | | | | | | |
| 사 | 과 | | | | | | | | | | |
| 의 | 외 | | | | | | | | | | |
| 웨 | 이 | 브 | | | | | | | | | |
| 아 | 니 | 요 | | | | | | | | | |

**4)** 音声を聞いて、正しいイラストに◯をつけましょう。 ▶ 16

1

2
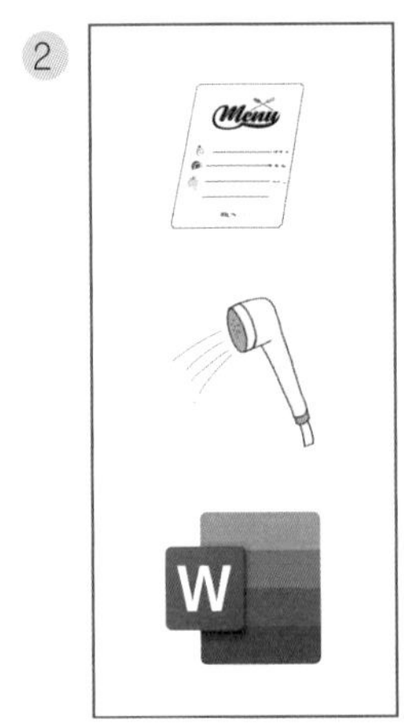


3

## 謝罪のあいさつ ▶ 17

죄송합니다.（チェソンハㇺニダ） / 괜찮아요.（ケンチャナヨ）

미안해.（ミアネ） / 괜찮아.（ケンチャナ）

## 6 子音（初声）：激音

ㅍ　ㅌ　ㅊ　ㅋ　ㅎ

18

ㅍ [pʰ]

파 피 프 푸
패 페 포 퍼

ㅌ [tʰ]

타 티 트 투
태 테 토 터

ㅊ [tʃʰ]

차 치 츠 추
채 체 초 처

ㅋ [kʰ]

카 키 크 쿠
캐 케 코 커

ㅎ [h]

하 히 흐 후
해 헤 호 허

# 7 子音（初声）：濃音

## ㅃ　ㄸ　ㅉ　ㄲ　ㅆ

▶ 19

| | | | | | |
|---|---|---|---|---|---|
| ㅃ | [ˀp] | 빠 | 삐 | 쁘 | 뿌 |
| | | 빼 | 뻬 | 뽀 | 뻐 |
| ㄸ | [ˀt] | 따 | 띠 | 뜨 | 뚜 |
| | | 때 | 떼 | 또 | 떠 |
| ㅉ | [ˀtʃ] | 짜 | 찌 | 쯔 | 쭈 |
| | | 째 | 쩨 | 쪼 | 쩌 |
| ㄲ | [ˀk] | 까 | 끼 | 끄 | 꾸 |
| | | 깨 | 께 | 꼬 | 꺼 |
| ㅆ | [ˀs, ˀʃ] | 싸 | 씨 | 쓰 | 쑤 |
| | | 쌔 | 쎄 | 쏘 | 써 |

**1)** 発音してみましょう。

| | | | | | | | | | | | |
|---|---|---|---|---|---|---|---|---|---|---|---|
| ① | 파 | 포 | 토 | 티 | 투 | ② | 처 | 추 | 커 | 키 | 크 |
| ③ | 빠 | 쁘 | 띠 | 뜨 | 때 | ④ | 쪼 | 쩌 | 찌 | 끄 | 꾸 |
| ⑤ | 흐 | 써 | 쓰 | 허 | 쑤 | ⑥ | 거 | 크 | 꾸 | 키 | 꺼 |
| ⑦ | 보 | 쁘 | 퍼 | 푸 | 삐 | ⑧ | 즈 | 쪼 | 써 | 츠 | 씨 |

**2)** □にハングル文字を書いて、旅行のチェックリストを完成させましょう。

체 크 리 스 트

티 셔 츠

스 니 커 즈

조 끼

와 이 파 이

카 메 라

카 드

비 타 씨

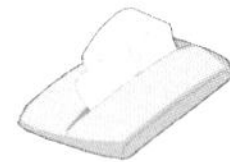

티 슈

**3)** 発音しながら書いてみましょう。 ⊙ 20

| | | | |
|---|---|---|---|
| 파 | 티 | | |
| 타 | 워 | | |
| 하 | 트 | | |
| 오 | 빠 | | |
| 찌 | 개 | | |
| 치 | 와 | 와 | |
| 케 | 이 | 크 | |
| 머 | 리 | 띠 | |
| 코 | 끼 | 리 | |
| 쓰 | 레 | 기 | |
| 파 | 프 | 리 | 카 |

**4)** 音声を聞いて、正しいイラストに◯をつけましょう。 ▶ 21

1

2

3

## 食事のあいさつ ▶ 22

잘 먹겠습니다.（チャル モッケッスムニダ）
잘 먹었습니다.（チャル モゴッスムニダ）

# 8 子音（終声）：鼻音、流音

## 암 안 앙 알

23

**암** [m]

암 임 음 움
앰 엠 옴 엄

**안** [n]

안 인 은 운
앤 엔 온 언

Instagram

**앙** [ŋ]

앙 잉 응 웅
앵 엥 옹 엉

ENGLISH

**알** [l]

알 일 을 울
앨 엘 올 얼

ALGORITHM

## 9 子音（終声）：口音

# 압 앋 악

24

압 [p] 압 입 읍 웁
앞 앱 엡 옵 업

UP

앋 [t] 앋 읻 읃 욷
앝 앧 엗 옫 얻

앗 았 앚 앛 앟

it

악 [k] 악 익 윽 욱
앜 액 엑 옥 억
앆

X

**1)** 発音してみましょう。

| | | | | | | | | | | | |
|---|---|---|---|---|---|---|---|---|---|---|---|
| 1 | 암 | 안 | 앙 | 안 | 암 | 2 | 압 | 앋 | 악 | 앋 | 압 |
| 3 | 인 | 임 | 일 | 입 | 읻 | 4 | 김 | 긴 | 깅 | 긷 | 깁 |
| 5 | 랄 | 랄 | 라 | 룰 | 루 | 6 | 밥 | 삽 | 답 | 랎 | 깝 |
| 7 | 속 | 억 | 밖 | 국 | 볶 | 8 | 곧 | 것 | 았 | 떻 | 꽃 |

**2)** □にハングル文字を書いて、世界の地域名を完成させましょう。

뉴 

홍 콩

이 집 트

홋 카 이 도

암 스 테 르 담

로 스 앤 젤 레 스

**3)** 発音しながら書いてみましょう。 ▶ 25

| | | |
|---|---|---|
| 댄스 | | |
| 윙크 | | |
| 팝콘 | | |
| 게임 | | |
| 인사 | | |
| 한국 | | |
| 일본 | | |
| 홈쇼핑 | | |
| 핫도그 | | |
| 선생님 | | |
| 알고리즘 | | |

ALGORITHM

**4)** 音声を聞いて、正しいイラストに◯をつけましょう。 ▶ 26

①

②

③
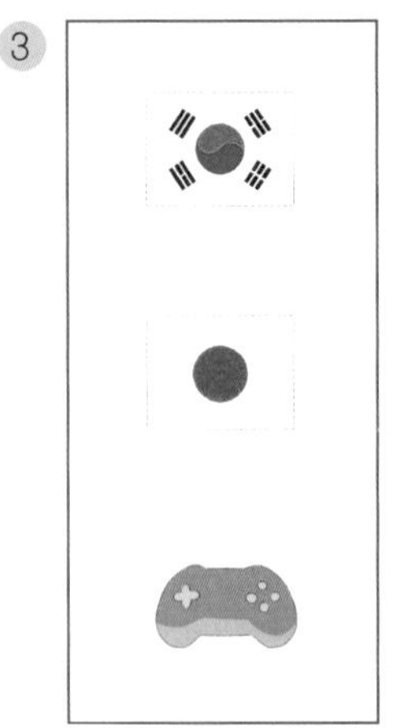

＊２つの子音字の場合

앇 앉 않 앏
앐 앑 앓 앖

여덟 発音 >>>> 여덜

앍 앎 앒

닭 発音 >>>> 닥

# ハングルキーボード

## ①パソコン

## ②スマートフォン

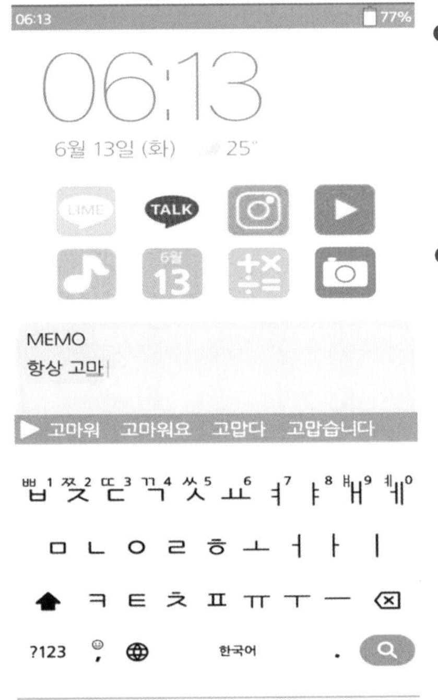


- 「子音字＋母音字（＋パッチム）」の順で入力
  「하늘」→「ㅎ＋ㅏ＋ㄴ＋ㅡ＋ㄹ」
  「많다」→「ㅁ＋ㅏ＋ㄴ＋ㅎ＋ㄷ＋ㅏ」

- Shift
  ＋「ㅂ，ㅈ，ㄷ，ㄱ，ㅅ」「ㅐ，ㅔ」
  →「ㅃ，ㅉ，ㄸ，ㄲ，ㅆ」「ㅒ，ㅖ」

＊イラスト：鍵谷柚花（明星大学デザイン学部デザイン学科）

# カナのハングル表記

日本語のカナ文字をハングルでは以下のように表記します。中には、「語頭」にくる場合と、「語中・語末」にくる場合で異なるものもあるので、注意しましょう。
下の表では、最初の文字が「語頭」、次にくるのが「語中・語末」で使われます。例）「か」→ 가（語頭）、카（語中・語末）

| | あ | い | う | え | お |
|---|---|---|---|---|---|
| あ | 아 あ | 이 い | 우 う | 에 え | 오 お |
| か | 가・카 か | 기・키 き | 구・쿠 く | 게・케 け | 고・코 こ |
| さ | 사 さ | 시 し | 스 す | 세 せ | 소 そ |
| た | 다・타 た | 지・치 ち | 쓰 つ | 데・테 て | 도・토 と |
| な | 나 な | 니 に | 누 ぬ | 네 ね | 노 の |
| は | 하 は | 히 ひ | 후 ふ | 헤 へ | 호 ほ |
| ま | 마 ま | 미 み | 무 む | 메 め | 모 も |
| や | 야 や | | 유 ゆ | | 요 よ |
| ら | 라 ら | 리 り | 루 る | 레 れ | 로 ろ |
| わ | 와 わ | | | | 오 を |
| が | 가 が | 기 ぎ | 구 ぐ | 게 げ | 고 ご |
| ざ | 자 ざ | 지 じ | 즈 ず | 제 ぜ | 조 ぞ |
| だ | 다 だ | 지 ぢ | 즈 づ | 데 で | 도 ど |
| ば | 바 ば | 비 び | 부 ぶ | 베 べ | 보 ぼ |
| ぱ | 파 ぱ | 피 ぴ | 푸 ぷ | 페 ぺ | 포 ぽ |
| きゃ | 갸・캬 きゃ | | 규・큐 きゅ | | 쿄 きょ |
| ぎゃ | 갸 ぎゃ | | 규 ぎゅ | | 교 ぎょ |
| しゃ | 샤 しゃ | | 슈 しゅ | | 쇼 しょ |
| じゃ | 자 じゃ | | 주 じゅ | | 조 じょ |
| ちゃ | 자・차 ちゃ | | 주・추 ちゅ | | 조・초 ちょ |
| にゃ | 냐 にゃ | | 뉴 にゅ | | 뇨 にょ |
| ひゃ | 햐 ひゃ | | 휴 ひゅ | | 효 ひょ |
| びゃ | 뱌 びゃ | | 뷰 びゅ | | 뵤 びょ |
| ぴゃ | 퍄 ぴゃ | | 퓨 ぴゅ | | 표 ぴょ |
| みゃ | 먀 みゃ | | 뮤 みゅ | | 묘 みょ |
| りゃ | 랴 りゃ | | 류 りゅ | | 료 りょ |
| ん（パッチム）ㄴ　っ（パッチム）ㅅ | | | | | |

日本の地名をハングルで書いてみましょう。

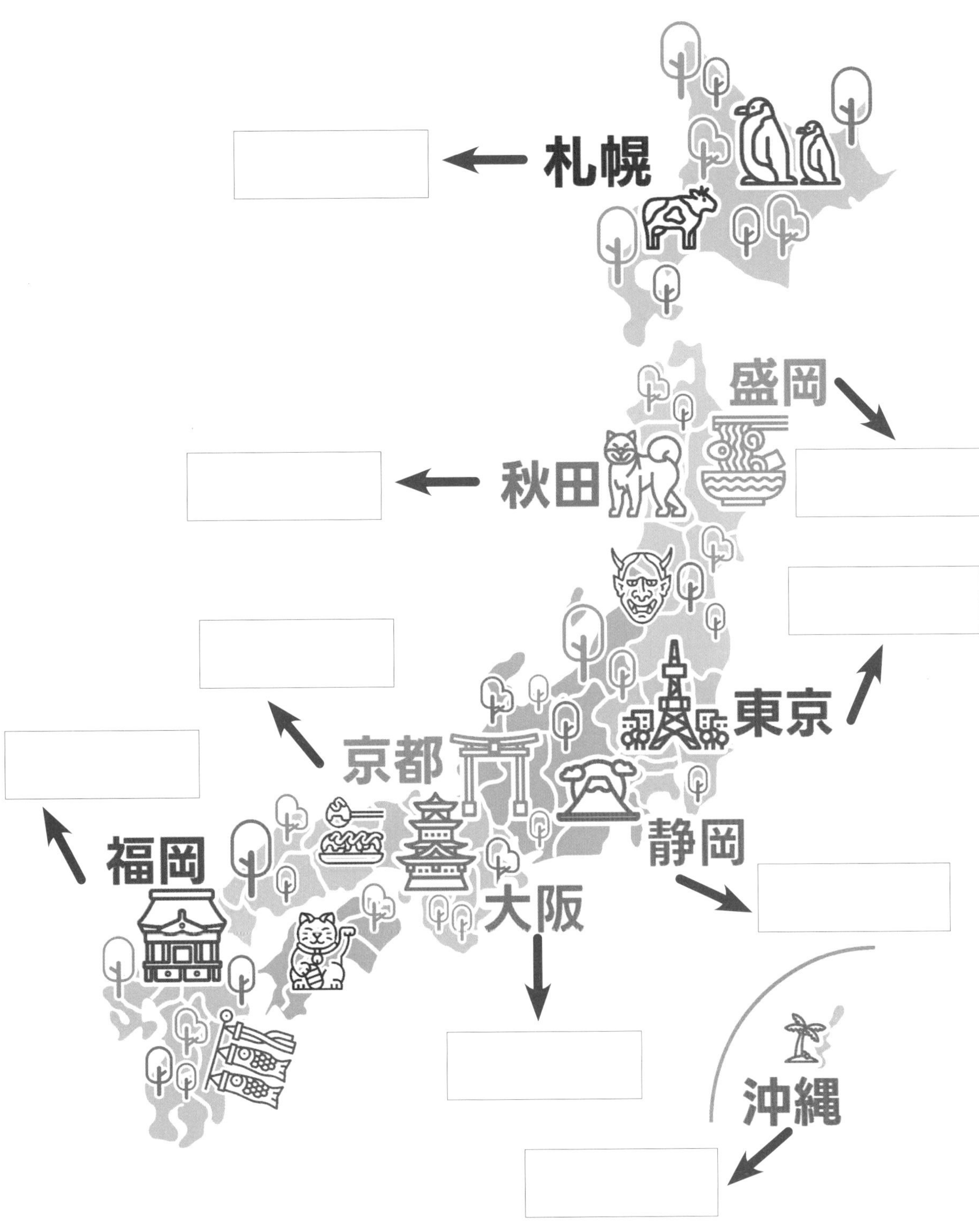


＊イラスト：丁慧旻（明星大学デザイン学部デザイン学科）

# キャラクター紹介

이지은 / 한국 / 선생님

요시다 리카 / 일본 / 대학생

김서준 / 한국 / 대학생

가토 준나 / 일본 / 회사원

김민준 / 한국 / 대학원생

시미즈 소타 / 일본 / 대학생

리 웨이 / 중국 / 프로그래머

스미스 엠마 / 미국 / 디자이너

루이 스테판 / 프랑스 / 배우

팜 즈엉 / 베트남 / 가수

# Begin To Study KOREAN 1

## 会話編

# 第 1 課　학생입니다 .

## - 입니다 / 입니까　[体言＋] ~ です / ですか

A : 학생입니까 ?

B : 네 , 대학생입니다 .

A : 한국 사람입니까 ?

B : 아니요 , 일본 사람입니다 .

학생 ＋ 입니다 → 학생입니다.

학생 ＋ 입니까 → 학생입니까?

「입니다」の発音に注意(鼻音化)

| | | | |
|---|---|---|---|
| | [ ㅂ ] | | [ ㅁ ] |
| パッチム | [ ㄷ ] + ㅁ / ㄴ | »»» | [ ㄴ ] |
| | [ ㄱ ] | | [ ㅇ ] |

[임니다]

1) 会話を完成させて、話してみましょう。

例　A : 책**입니까** ?

　　B : 네 , 책**입니다** .

① A : 선생님 ____________ ?

　 B : 네 , 선생님 ____________ .

② A : 언니 ____________ ?

　 B : 아니요 , 오빠 ____________ .

③ A : 가방 ____________ ?

　 B : 네 , 가방 ____________ .

④ A : 주스 ____________ ?

　 B : 아니요 , 코코아 ____________ .

## Point 2 -는/은 ~は

친구 + 는 → 친구는
パッチム無

「일본은」の発音に注意（連音化）

パッチム ＋「ㅇ」 >>>> パッチムと「ㅇ」をつなげて発音

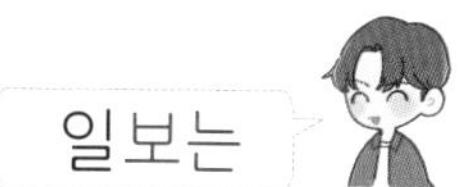


2) 正しいものに○をつけて、読んでみましょう。

例 저 ( 는 / 은 ) 요시다 리카입니다 .

1 선생님 ( 는 / 은 ) 한국 사람입니다 .

2 친구 ( 는 / 은 ) 학생입니다 .

3 집 ( 는 / 은 ) 사이타마입니다 .

4 학교 ( 는 / 은 ) 도쿄입니다 .

3) 文を完成させて、読んでみましょう。

例 저**는** 학생**입니다**.

1 친구 ______ 한국 사람 ____________________.

2 도쿄 ______ 일본 ____________________.

3 서울 ______ 한국 ____________________.

4 직업 ______ 디자이너 ____________________.

## Point 3 자기소개 自己紹介

▷ 28

안녕하세요?
저는 김서준입니다.
대학생입니다.
한국 사람입니다.
집은 서울입니다.

안녕하세요?
저는 요시다 리카입니다.
대학생입니다.
일본 사람입니다.
집은 도쿄입니다.

## 会話練習 I

① 저 / 일본 사람　　저 / 한국 사람

② 저 / 학생　　저 / 회사원

③ 이름 / OO　　이름 / OO

## 会話練習 II

김서준
한국 사람
학생

요시다 리카
일본 사람
학생

안녕하세요? 저는 김서준입니다.

네, 안녕하세요? 저는 요시다 리카입니다.

요시다 리카 씨는 일본 사람입니까?

네, 저는 일본 사람입니다.
김서준 씨는 한국 사람입니까?

네, 저는 한국 사람입니다.
리카 씨는 학생입니까?

네, 학생입니다.
서준 씨는 학생입니까?

네, 학생입니다.

스미스 엠마
미국 사람
디자이너

리 웨이
중국 사람
프로그래머

# 第 2 課　식당이 아닙니다 .

## - 가 / 이 아닙니다　［体言＋］～ではありません　▶ 30

A : 학교입니까 ?

B : 아니요 , 학교가 아닙니다 .

A : 식당입니까 ?

B : 아니요 , 식당이 아닙니다 .

パッチム無　＋ 가　아닙니다　⟶　학교가 아닙니다.

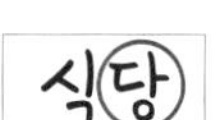

パッチム有　＋ 이　아닙니다　⟶　식당이 아닙니다.

「학교」「식당」の発音に注意(濃音化)

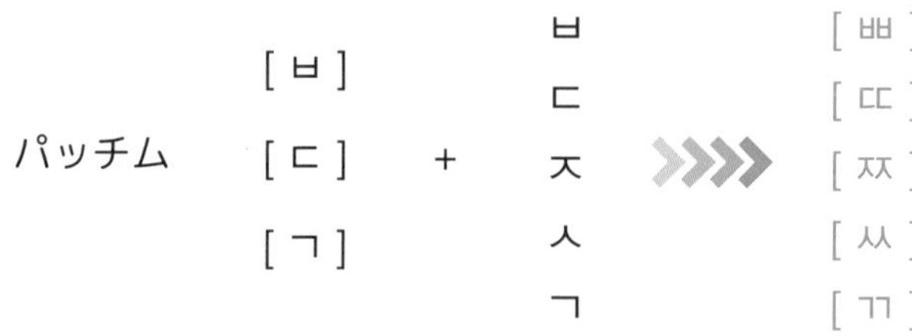

1) 正しいものに○を付けて、読んでみましょう。

例　가수 ( ㊀가 / 이 ) 아닙니다 .

① 한국 사람 ( 가 / 이 ) 아닙니다 .

② 친구 ( 가 / 이 ) 아닙니다 .

③ 도서관 ( 가 / 이 ) 아닙니다 .

④ 코코아 ( 가 / 이 ) 아닙니다 .

2) 会話を完成させて、話してみましょう。

例 A : 미국 사람입니까 ?

B : 아니요 , 미국 사람**이 아닙니다 .**
저는 영국 사람**입니다 .**

1 A : 선생님입니까 ?

B : 아니요 , 선생님 ___ ____________________.
저는 학생 ____________________.

2 A : 카메라입니까 ?

B : 아니요 , 카메라 ___ ____________________.
사전 ____________________.

3 A : 식당입니까 ?

B : 아니요 , 식당 ___ ____________________.
도서관 ____________________.

4 A : 배우입니까 ?

B : 아니요 , 배우 ___ ____________________.
가수 ____________________.

## 会話練習 I

1 도서관 ?　　아니요 , 도서관 X

2 도쿄 ?　　아니요 , 도쿄 X

3 회사원 ?　　아니요 , 회사원 X // 학생 O

## Point 2 이 / 그 / 저 / 어느 この / その / あの / どの

31

❗発話の現場にないもの、話し手と聞き手の両者が了解しているものには、「그」を用いる。

32

## Point 3 이것 / 그것 / 저것 / 어느 것 これ / それ / あれ / どれ

A : 이것도 한국어 책입니까 ?
B : 네 , 그것도 한국어 책입니다 .
A : 세나 씨 가방은 어느 것입니까 ?
　　이 가방입니까 ?
B : 아니요 , 저것입니다 .

3) 正しいものに○を付けて、また、下の文を完成させましょう。

例 ( 이것 , 그것 , (저것) ) 은 사진입니다 .
　　그림**이 아닙니다 .**

1 ( 이것 , 그것 , 저것 ) 은 코코아입니다 .
　　커피 ___ ______________.

2 ( 이 사람 , 그 사람 , 저 사람 ) 은 디자이너입니다 .
　　선생님 ___ ______________.

3 ( 이것 , 그것 , 저것 ) 은 강아지입니다 .
　　고양이 ___ ______________.

4 ( 이 사람 , 그 사람 , 저 사람 ) 은 여동생입니다 .
　　남동생 ___ ______________.

## 会話練習 II

33

例

이것
책
이 사람
친구

이것은 리카 씨 책입니까?

아니요, 제 책이 아닙니다.
친구 책입니다.

이 사람은 친구입니까?

네, 친구입니다.

1

이것
카메라
그 사진
스카이트리

2

저 사람
동생
친구 동생
중학생

# 第 3 課　나무가 있습니다 .

Point 1　- 가 / 이　～が

나무 + 가 → 나무가
パッチム無

Point 2　있습니다　ありますﾞ、います

없습니다　ありません、いません

A : 나무가 있습니까 ?
B : 네 , 나무가 있습니다 .
A : 사람이 있습니까 ?
B : 아니요 , 사람이 없습니다 .
고양이가 있습니다 .

1) 文を完成させて、話してみましょう。

例 고양이**가 있습니다**.

1 나무 ____ ________________.

2 강아지 ____ ________________.

3 스마트폰 ____ ________________.

4 공원 ____ ________________.

2) 会話を完成させて、話してみましょう。

例 A : 고양이가 있습니까 ?
B : 아니요 , 고양이**가 없습니다**.
강아지**가 있습니다**.

1 A : 컴퓨터가 있습니까 ?
B : 아니요 , 컴퓨터 ____ ______________________.
스마트폰 ____ ______________________.

2 A : 서점이 있습니까 ?
B : 아니요 , 서점 ____ ______________________.
카페 ____ ______________________.

3 A : 오빠가 있습니까 ?
B : 아니요 , 오빠 ____ ______________________.
남동생 ____ ______________________.

4 A : 영어 수업이 있습니까 ?
B : 아니요 , 영어 수업 ____ ______________________.
한국어 수업 ____ ______________________.

## 会話練習 I

1 언니 / 있습니까 ?
네 , 언니 O

2 사전 / 있습니까 ?
아니요 , 사전 X

3 오늘 / 아르바이트 / 있습니까 ?
아니요 , 오늘 / 아르바이트 X // 내일 / 아르바이트 O

## Point 3 여기 / 거기 / 저기 / 어디　ここ / そこ / あそこ / どこ

▶ 35

여기입니다.　거기입니다.　저기입니다.　어디입니까?

## Point 4 -에　～に

▶ 36

A : 어디에 은행이 있습니까?
B : 저기에 있습니다.
A : 은행에 사람이 있습니까?
B : 네, 많이 있습니다.

「많이」「은행」の発音に注意（[ㅎ] の無音化／弱化）

| | | | |
|---|---|---|---|
| パッチム | [ㅎ] +[ㅇ] | >>>> | [ㅎ] 発音されない |
| | [ㄴ, ㄹ, ㅁ, ㅇ] +[ㅎ] | >>>> | [ㅎ] 発音弱くなる |

마니　　으냉

3) 文を完成させて、読んでみましょう。

例 **저기에** 공원**이** 있습니다.

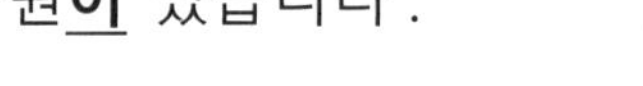

1 ＿＿＿＿＿ 연필 ＿＿＿ 있습니다.

2 ＿＿＿＿＿ 친구 ＿＿＿ 있습니다.

3 ＿＿＿＿＿ 사전 ＿＿＿ 없습니다.

4 ＿＿＿＿＿ 고양이 ＿＿＿ 없습니다.

##  会話練習 II

▶ 37

例

공원
저기
나무

여기에 공원이 있습니까?

아니요, 공원이 없습니다.

어디에 있습니까?

저기에 있습니다.

공원에 나무가 있습니까?

네, 많이 있습니다.

1

도서관
저기
한국어 책

2

학교
저기
학생들

# 第 4 課　어디에 갑니까 ?

## - ㅂ니다 / 습니다　～です、～ます <합니다体>　38

A : 어디에 갑니까 ?

B : 학교에 갑니다 .

A : 학생이 많습니까 ?

B : 네 , 많습니다 .

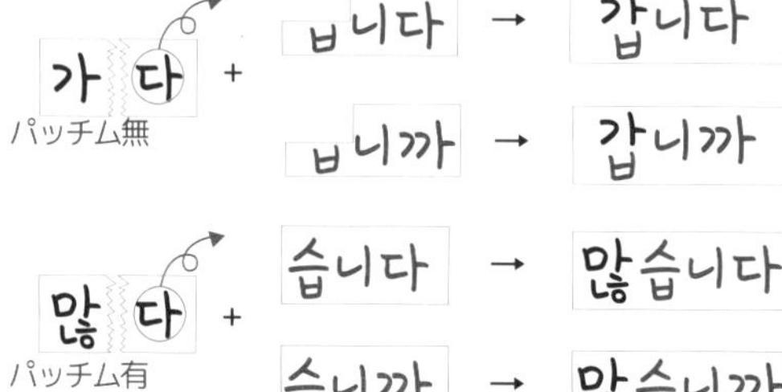


用言の活用では、語尾の「다」を必ずとってから、それぞれの語尾をつける。

「많다」「입학」の発音に注意(激音化)

| | | | | | | |
|---|---|---|---|---|---|---|
| | [ ㄷ ] | [ ㅌ ] | | [ ㅂ ] | | [ ㅍ ] |
| パッチム ㅎ + | [ ㅈ ] | [ ㅊ ] | パッチム | [ ㄷ ] | + ㅎ | [ ㅌ ] |
| | [ ㄱ ] | [ ㅋ ] | | [ ㄱ ] | | [ ㅋ ] |

만타　　　이팍

1) 합니다体で書いてみましょう。

例 크다 : 큽니다

例 읽다 : 읽습니다

① 보다 ＿＿＿＿＿＿

⑤ 먹다 ＿＿＿＿＿＿

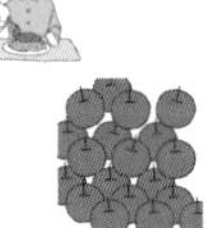

② 예쁘다 ＿＿＿＿＿＿

⑥ 많다 ＿＿＿＿＿＿

③ 주다 ＿＿＿＿＿＿

⑦ 맛있다 ＿＿＿＿＿＿

④ 공부하다 ＿＿＿＿＿＿

⑧ 입다 ＿＿＿＿＿＿

2) 会話を完成させて、話してみましょう。

例　A : 어디에 **갑니까**?　( 가다 )
　　B : 친구 집에 **갑니다**.

1　A : 서준 씨는 어디에 ____________?　( 있다 )
　　B : 도서관에 ____________.

2　A : 도서관에 책이 ____________?　( 많다 )
　　B : 네 , ____________.

3　A : 강아지가 ____________?　( 예쁘다 )
　　B : 네 , 정말 ____________.

4　A : 비빔밥은 어디가 ____________?　( 맛있다 )
　　B : 저 식당이 ____________

5　A : 오늘은 ____________?　( 따뜻하다 )
　　B : 네 , ____________.

## 会話練習 I

1　비 / 많이 오다 ?　　아니요 , 조금 오다

2　공원 / 나무 / 많다 ?　　네 , 많다

3　옷 / 크다 ?　　아니요 , 괜찮다 // 정말 예쁘다

## Point 2 -를 / 을 ～を

39

영화 + 를 → 영화를
パッチム無

무엇 + 을 → 무엇을
パッチム有

A : 오늘 무엇을 합니까 ?

B : 영화를 봅니다 .

A : 점심은 무엇을 먹습니까 ?

B : 비빔밥을 먹습니다 .

3) 会話を完成させて、話してみましょう。

例 A : 티브이를 **봅니까** ? ( 보다 , 재미있다 )

B : 네 , 드라마를 **봅니다** . **재미있습니다** .

1 A : 외국어 ＿＿ ＿＿＿＿＿＿＿＿＿ ? ( 공부하다 , 쉽다 )

B : 네 , 한국어 ＿＿ ＿＿＿＿＿＿＿＿＿ . ＿＿＿＿＿＿＿＿＿ .

2 A : 물 ＿＿ ＿＿＿＿＿＿＿＿＿ ? ( 마시다 , 따뜻하다 )

B : 아니요 , 코코아 ＿＿ ＿＿＿＿＿＿＿＿＿ . ＿＿＿＿＿＿＿＿＿ .

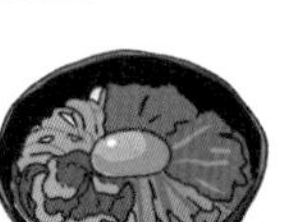

3 A : 한국 음식 ＿＿ ＿＿＿＿＿＿＿＿＿ ? ( 먹다 , 맛있다 )

B : 네 , 자주 비빔밥 ＿＿ ＿＿＿＿＿＿＿＿＿ . ＿＿＿＿＿＿＿＿＿ .

4 A : 저 옷 ＿＿ ＿＿＿＿＿＿＿＿＿ ? ( 입다 , 예쁘다 )

B : 아니요 , 이 옷 ＿＿ ＿＿＿＿＿＿＿＿＿ . ＿＿＿＿＿＿＿＿＿ .

## 会話練習 II

영화 / 보다
게임 / 하다
재미있다

리카 씨는 주말에 무엇을 합니까?

저는 보통 영화를 봅니다.
서준 씨는 주말에 무엇을 합니까?

저는 게임을 합니다.

게임은 재미있습니까?

네, 정말 재미있습니다.

아르바이트 / 하다
숙제 / 하다
많다

2

책 / 읽다
요리 / 하다
맛있다

# 第 5 課　별로 어렵지 않습니다 .

## - 지 않습니다　～ません、～くありません

▶ 41

A : 커피를 마십니까 ?
B : 아니요 , 저는 커피를 마시지 않습니다 .

A : 한국어는 어렵습니까 ?
B : 아니요 , 별로 어렵지 않습니다 .
참 재미있습니다 .

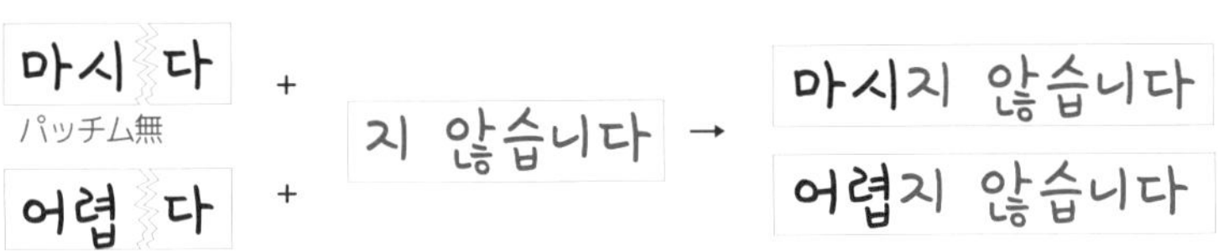


1) 否定文を書いてみましょう。

例 마시다 : 마시지 않습니다　　例 어렵다 : 어렵지 않습니다

1 오다 ______________

2 비싸다 ______________

3 바쁘다 ______________

4 운동하다 ______________

5 찍다 ______________

6 듣다 ______________

7 맵다 ______________

8 읽다 ______________

2) 質問に対して、肯定と否定の答えを書いて、話してみましょう。

例 A : 한국어를 공부합니까 ?
B1 : 네 , **<u>공부합니다</u>** .
B2 : 아니요 , **<u>공부하지 않습니다</u>** .

1 A : 집에 친구가 옵니까 ?
B1 : 네 , ____________________ .
B2 : 아니요 , ____________________ .

2 A : 한국 노래를 듣습니까 ?
B1 : 네 , ____________________ .
B2 : 아니요 , ____________________ .

3 A : 요즘 바쁩니까 ?
B1 : 네 , 조금 ____________________ .
B2 : 아니요 , ____________________ .

4 A : 오늘 날씨가 좋습니까 ?
B1 : 네 , 정말 ____________________ .
B2 : 아니요 , 별로 ____________________ .

## 会話練習 I

1 요즘 바쁘다 ? — 아니요 , 별로 바쁘다 X

2 술 / 마시다 ? — 아니요 , 마시다 X

3 운동하다 ? — 아니요 , 운동하다 X

## Point 2 - 에서(서)　～で

▶ 42

A : 도서관에서 공부합니까 ?
B : 아니요 , 요즘은 집에서 공부합니다 .

## Point 3 - 와 / 과　～と

▶ 43

친구 + 와 → 친구와
パッチム無

동생 + 과 → 동생과
パッチム有

A : 친구와 같이 콘서트에 갑니까 ?
B : 아니요 , 동생과 함께 갑니다 .

「같이」の発音に注意(口蓋音化)

パッチム ㄷ , ㅌ + [ 이 ] >>>> [ ㅈ ] [ ㅊ ]

3) 会話を完成させて、話してみましょう。

例 A : 어디**에서** **아르바이트합니까** ? ( 아르바이트하다 )
B : 저는 카페**에서** 친구**와** 같이 **아르바이트합니다** .

1. A : 어디 _____ 밥을 __________________ ? ( 먹다 )
B : 한국 식당 _____ 누나 ____ 같이 ________________ .

2. A : 어디 _____ 한국어를 ________________ ? ( 배우다 )
B : 대학교 _____ 친구들 ___ 같이 ________________ .

3. A : 저 공원 _____ ____________________ ? ( 운동하다 )
B : 네 , 저기 _____ 강아지 ____ 함께 ________________ .

4. A : 거실 _____ 책을 __________________ ? ( 읽다 )
B : 네 , 거실 _____ 동생 ____ 함께 ________________ .

## 会話練習 II

▶ 44

例

아침 / 먹다
커피 / 빵
카페

리카 씨는 아침을 먹습니까?

아니요, 먹지 않습니다.
서준 씨는 어떻습니까?

저는 커피와 빵을 먹습니다.

어디에서 먹습니까?

보통 카페에서 먹습니다.

1

운동 / 하다
조깅 / 축구
공원

2

음악 / 듣다
재즈 / 케이팝
집

# 第 6 課　일 , 이 , 삼…

## 漢字語数詞

45

A : 몇 학년입니까 ?
B : 일 학년입니다 .
A : 우편 번호가 몇 번입니까 ?
B : 일이삼에 사오육칠 번입니다 .

46

| 1 | 2 | 3 | 4 | 5 | 6 | 7 | 8 | 9 | 10 |
|---|---|---|---|---|---|---|---|---|---|
| 일 | 이 | 삼 | 사 | 오 | 육 | 칠 | 팔 | 구 | 십 |
| 11 | 12 | 13 | 14 | 15 | 16 | 17 | 18 | 19 | 20 |
| 십일 | 십이 | 십삼 | 십사 | 십오 | 십육 | 십칠 | 십팔 | 십구 | 이십 |
| 30 | 40 | 50 | 60 | 70 | 80 | 90 | 100 | 1,000 | 10,000 |
| 삼십 | 사십 | 오십 | 육십 | 칠십 | 팔십 | 구십 | 백 | 천 | 만 |

* 0 : 영 / 공

「십육(16)」の発音に注意( [ㄴ] 音の挿入)

십 + 육 : 십육 ( 合成語 )
パッチム + 이 , 야 , 여 , 요 , 유の前 ≫≫ [ㄴ] 音の挿入
십뉵 ≫≫ 심뉵 ( 鼻音化、p.42)

1) 数字をハングルで書いてみましょう。

例　2 학년 : ( 이 ) 학년

① 37 층 : (　　　　　　　　　　) 층

② 365 일 : (　　　　　　　　　　) 일

③ 4,800 원 : (　　　　　　　　　　) 원

④ 905-1273 번 : (　　　　　　) 에 (　　　　　　　　　　) 번

2) 会話を完成させて、話してみましょう。

例 A : 몇 학년입니까 ?

B : 저는 **이 학년입니다 .** (2 학년 )

1 A : 교실은 몇 층입니까 ?

B : 교실은 ________________. (7 층 )

2 A : 신발 사이즈가 몇 밀리 (mm) 입니까 ?

B : 제 신발 사이즈는 ________________. (260 밀리 )

3 A : 이 바지는 얼마입니까 ?

B : 이 바지는 ________________. (13,000 원 )

4 A : 전화번호가 몇 번입니까 ?

B : 제 전화번호는 ________________. (753-9048 번 )

## 会話練習 I

1

회의실 / 몇 층 ?

4 층

2

티셔츠 / 얼마 ?

12,500 원

3

전화번호 / 몇 번 ?

987-5432 번

## Point 2 월일 / 요일　月日／曜日

**12월**
DECEMBER

| 일요일 | 월요일 | 화요일 | 수요일 | 목요일 | 금요일 | 토요일 |
|---|---|---|---|---|---|---|
| | | | 1 일 일 | 2 이 일 | 3 삼 일 | 4 사 일 |
| 5 오 일<br>알바 | 6 | 7<br>어제 | 8<br>오늘 | 9<br>내일 | 10 십 일<br>수업 발표 | 11 십일 일<br>서준과 저녁 |
| 12 십이 일<br>알바 | 13<br>내 생일 | 14 | 15 | 16 | 17<br>한국어 시험 | 18 |
| 19 십구 일<br>알바 | 20 | 21 | 22<br>친구와 카페 | 23 | 24 | 25<br>크리스마스 |
| 26 이십육 일<br>알바 | 27 | 28<br>동생과 영화 | 29 | 30 | 31 | |

47

A : 오늘이 몇 월 며칠입니까 ?
B : 십이 월 팔 일입니다 .

A : 오늘은 무슨 요일입니까 ?
B : 수요일입니다 .

3) 上の日程表を見て、会話を完成させて話してみましょう。

例　A : 생일이 언제입니까 ?
　　B : **십이 월 십삼 일**입니다 .

1　A : 한국어 시험은 언제입니까 ?
　　B : 한국어 시험은 ________ 월 ________ 일 입니다 .

2　A : 수업 발표는 언제입니까 ?
　　B : 모레입니다 . ________ 월 ________ 일 입니다 .

3　A : 크리스마스는 금요일입니까 ?
　　B : 아니요, ________ 입니다 .

4　A : 무슨 요일에 아르바이트를 합니까 ?
　　B : 아르바이트는 ________ 에 합니다 .

##  会話練習 II

48

例

스타 콘서트 / 가다
날짜: 9월 15일 일요일
자리 번호: 2 층 285 번

리카 씨, 스타 콘서트에 갑니까?

네, 갑니다.

스타 콘서트가 언제입니까?

구 월 십오 일입니다.
일요일입니다.

자리 번호는 몇 번입니까?

이 층 이백팔십오 번입니다.

1

민준 오빠(형) 생일 파티 / 가다
날짜: 6월 10일 금요일
민준 오빠(형) 전화번호: 456-7890

2

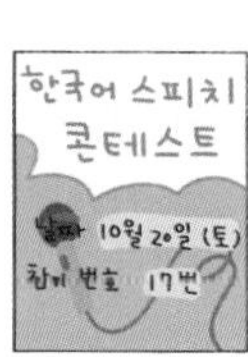


한국어 스피치 콘테스트 / 나가다
날짜: 10월 20일 토요일
참가 번호: 17 번

# 第７課　하나 , 둘 , 셋…

## Point 1　固有語数詞

▶ 49

A : 강아지가 몇 마리입니까 ?

B : 두 마리입니다 .

A : 몇 살입니까 ?

B : 한 살입니다 .

▶ 50

| 1 | 2 | 3 | 4 | 5 | 6 | 7 |
|---|---|---|---|---|---|---|
| 하나 / 한 | 둘 / 두 | 셋 / 세 | 넷 / 네 | 다섯 | 여섯 | 일곱 |
| 8 | 9 | 10 | 11 | 12 | 13 | 14 |
| 여덟 | 아홉 | 열 | 열하나/열한 | 열둘 / 열두 | 열셋 / 열세 | 열넷 / 열네 |
| 15 | 16 | 17 | 18 | 19 | 20 | |
| 열다섯 | 열여섯 | 열일곱 | 열여덟 | 열아홉 | 스물 / 스무 | |

「열넷（14）」の発音に注意（流音化）

ㄴ + ㄹ　>>>>　ㄹ + ㄹ

ㄹ + ㄴ　>>>>　ㄹ + ㄹ

1) 数字をハングルで書いてみましょう。

① 1 개　　사과가 (　　　　) 개 있습니다 .

② 2 명　　사람이 (　　　　) 명 있습니다 .

③ 3 마리　　고양이가 (　　　　) 마리 있습니다 .

④ 4 권　　책이 (　　　　) 권 있습니다 .

2) 会話を完成させて、話してみましょう。

例 A : 몇 살입니까 ?

B : 저는 **<u>열아홉 살입니다</u>**. (19 살 )

① A : 컵케이크가 몇 개 있습니까 ?

B : ______________________. (4 개 )

② A : 사람이 몇 명 있습니까 ?

B : ______________________. (15 명 )

③ A : 티켓이 몇 장 있습니까 ?

B : ______________________. (20 장 )

④ A : 하루에 물을 몇 잔 마십니까 ?

B : ______________________. (10 잔 )

## 会話練習 I

① 이 그룹 멤버 / 몇 명 ?　　7 명

② 동생 / 몇 살 ?　　제 동생 / 16 살

③ 점심 / 무엇 / 먹다 ?　　샌드위치 / 1 개 먹다

## Point 2 時刻

07:30

固有語数詞　漢字語数詞

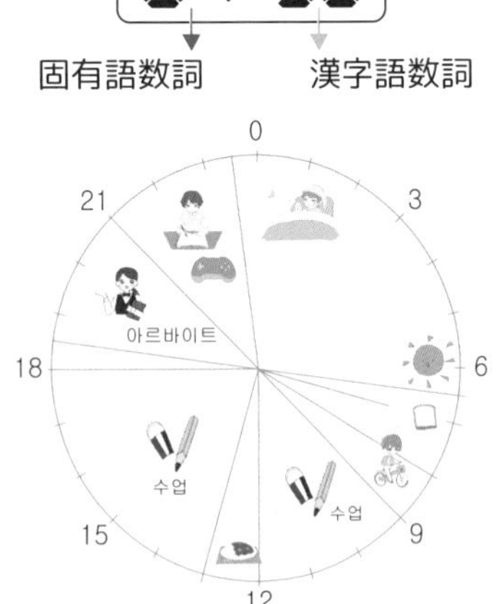


A : 지금 몇 시입니까 ?

B : 일곱 시 삼십 분입니다 .

여섯 시 삼십 분에 일어납니다 .
일곱 시에 아침을 먹습니다 .
여덟 시 십 분에 학교에 갑니다 .
아홉 시에 수업을 듣습니다 .
낮 열두 시에 점심을 먹습니다 .
오후 여섯 시에 수업이 끝납니다 .
밤 열한 시 반에 잡니다 .

## Point 3 -부터 -까지　～から～まで

52

9:00 ~ 13:00　오전 아홉 시부터 오후 한 시까지 수업을 듣습니다 .

3 ) 会話を完成させて、話してみましょう。

例　A : 몇 시에 일어납니까 ?

B : **여섯 시에 일어납니다**.

06:00

1　A : 몇 시에 잡니까 ?

B : ______________________.

2　A : 몇 시에 아침을 먹습니까 ?

B : ______________________.

3　A : 몇 시에 학교에 갑니까 ?

B : ______________________.

4　A : 그 드라마는 몇 시부터 몇 시까지 합니까 ?

B : ______________________.

##  会話練習 II

53

例

봉사 활동 / 하다
한 달 / 2 번
13:00 ~ 17:00

리카 씨는 봉사 활동을 합니까?

네, 봉사 활동을 합니다.

한 달에 몇 번 있습니까?

한 달에 두 번 있습니다.

몇 시부터 몇 시까지입니까?

오후 한 시부터 다섯 시까지입니다.

1

한국어 수업 / 듣다
일주일 / 3 번
9:00 ~ 10:30

2

스타 콘서트 / 가다
하루 / 1 번
18:30 ~ 20:40

# 第 8 課　날씨가 좋아요 ?

## Point 1　- 아요 / 어요① 　～です、～ます < 해요体 >　54

A : 오늘 날씨가 좋아요 ?

B : 네 , 정말 좋아요 .

A : 내일 공원에서 점심을 먹어요 ?

B : 네 , 공원에서 김밥을 먹어요 .

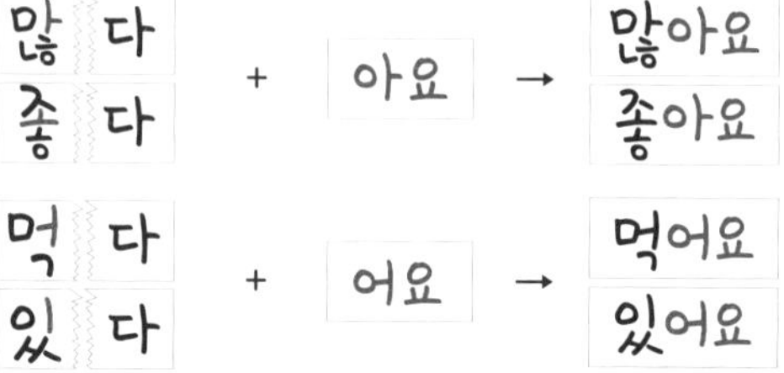

| | | | | |
|---|---|---|---|---|
| 많 다 | + | 아요 | → | 많아요 |
| 좋 다 | | | | 좋아요 |
| 먹 다 | + | 어요 | → | 먹어요 |
| 있 다 | | | | 있어요 |
| 공부하 다 | + | 여요 | → | 공부하여요 |
| | | | | 공부해요 |

語幹の最後の母音字

ㅏ , ㅗ , ㅑ　: - 아요

ㅏ , ㅗ , ㅑ 以外 : - 어요

★하다用言 : 하여요→ 해요

한국어를 공부해요 ?

네 , 공부해요 .

1) 해요体で書いてみましょう。

| | | |
|---|---|---|
| 例 앉다 ( 座る ) | **앉아요 ?** | **앉아요 .** |
| 1 받다 ( もらう ) | ________ | ________ |
| 2 놓다 ( 置く ) | ________ | ________ |
| 3 없다 ( ない · いない ) | ________ | ________ |
| 4 웃다 ( 笑う ) | ________ | ________ |
| 5 사랑하다 ( 愛する ) | ________ | ________ |

2) 会話を完成させて、話してみましょう。

例　A : 오늘 날씨가 어때요 ?

B : 정말 **좋아요**. ( 좋다 )

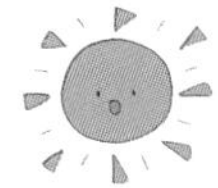

1　A : 지금 뭐 해요 ?

B : 집에서 저녁을 ____________________. ( 먹다 )

2　A : 토요일에 뭐 해요 ?

B : 도서관에서 책을 ____________________. ( 읽다 )

3　A : 오늘 오후에 약속이 있어요 ?

B : 네 , 친구와 공원에서 ____________________. ( 운동하다 )

4　A : 블루핑크 콘서트는 언제 해요 ?

B : 7 월부터 투어를 ____________________. ( 시작하다 )

5　A : 치킨 맛이 어때요 ? 괜찮아요 ?

B : 진짜 ____________________. ( 맛있다 )

## 会話練習 I

1　교실 / 사람 / 있다 ?　　네 , 서준 씨 / 있다

2　어디 / 점심 / 먹다 ?　　학교 식당 / 먹다

3　한국 문화 / 관심 / 많다 ?　　네 , 아주 많다

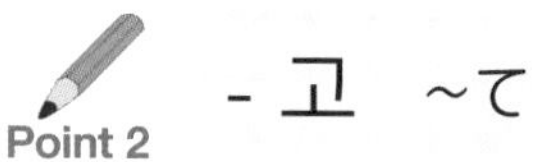

## Point 2　-고　~て

| | | | | |
|---|---|---|---|---|
| 맛있 다 | + | 고 | → | 맛있고 |
| 따뜻하 다 | | | → | 따뜻하고 |

코코아가 맛있고 따뜻해요 . = 따뜻하고 맛있어요 .

A : 주말에 뭐 해요 ?

B : 책도 읽고 운동도 해요 .

3) 会話を完成させて、話してみましょう。

例　A : 이 가수 어때요 ?

B : **멋있고 노래도 잘해요** .

( 멋있다 . 그리고 노래도 잘하다 .)

1　A : 이 치킨 어때요 ?

B : 양이 ______________________.

( 많다 . 그리고 맛있다 .)

2　A : 그 영화 어때요 ?

B : 스토리도 ______________________.

( 좋다 . 그리고 재미있다 .)

3　A : 저 호텔 어때요 ?

B : 방이 ______________________.

( 넓다 . 그리고 편안하다 .)

4　A : 저 건물에는 뭐가 있어요 ?

B : 도서관도 ______________________.

( 있다 . 그리고 식당도 있다 .)

## 会話練習 II

▶ 56

例

점심 / 먹다
학교 식당 / 싸다 / 맛있다
편의점 도시락 / 먹다 / 빵 / 먹다

리카 씨는 주로 어디서 점심을 먹어요?

학교 식당에서 먹어요.

학교 식당은 어때요?

싸고 맛있어요.
서준 씨는요?

저는 편의점 도시락도 먹고 빵도 먹어요.

1

공부 / 하다
집 / 편안하다 / 좋다
카페에서 / 하다 / 도서관에서 / 하다

2

쇼핑 / 하다
신주쿠 / 옷이 예쁘다 / 가게가 많다
쇼핑몰 / 가다 / 인터넷 쇼핑 / 하다

# 第 9 課　친구를 만나요 .

## Point 1　- 아요 / 어요② 　～です、～ます < 해요体 >　57

A : 오늘 친구를 만나요 ?

B : 네 , 고등학교 때 친구를 만나요 .

A : 이번 주에도 고향 집에 가요 ?

B : 아니요 , 이번 주는 언니가 도쿄에 와요 .

오 다 + 아요 → 와요
縮約

주 다
마 시 다
되 다
+ 어요 → 줘요 마셔요 돼요
縮約

커피를 마셔요 ?

네 , 마셔요 .

1) 해요体で書いてみましょう。

| | | |
|---|---|---|
| 例 만나다 ( 会う ) | **만나요 ?** | **만나요 .** |
| 1 사다 ( 買う ) | ______ | ______ |
| 2 보내다 ( 送る ) | ______ | ______ |
| 3 세우다 ( 立てる ) | ______ | ______ |
| 4 걸리다 ( かかる ) | ______ | ______ |
| 5 시작되다 ( 始まる ) | ______ | ______ |

2) 会話を完成させて、話してみましょう。

例 A : 지수 씨 , 수요일에 뭐 해요 ?

B : 친구를 **만나요 .** ( 만나다 )

1 A : 대학교에서 외국어를 공부해요 ?

B : 네 , 한국어를 ____________________.( 배우다 )

2 A : 여기에 105 번 버스가 서요 ?

B : 네 , 곧 버스가 ____________________. ( 오다 )

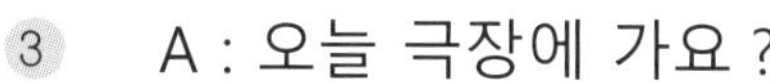

3 A : 오늘 극장에 가요 ?

B : 네 , 동생과 영화를 ____________________. ( 보다 )

4 A : 왜 여기에 있어요 ?

B : 친구를 ____________________. ( 기다리다 )

5 A : 오후에 같이 커피 한잔 마셔요 !

B : 좋아요 . 학교 근처 카페에 ______________! ( 가다 )

## 会話練習 I

1 지금 / 뭐 하다 ?　　영어 단어 / 외우다

2 수업 / 언제 끝나다 ?　　네 시 / 끝나다

3 어느 대학 / 다니다 ?　　OO 대학 / 다니다

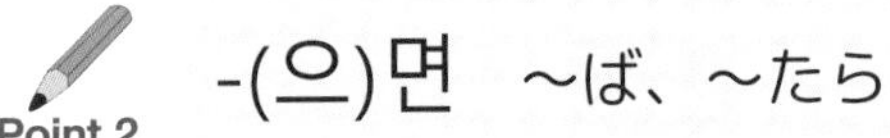

## Point 2 -(으)면 ~ば、~たら

58

싸 다 + 면 → 싸면
パッチム無

맛있 다 + 으면 → 맛있으면
パッチム有

A : 싸면 좋아요 .
B : 맛있으면 더 좋아요 .

## Point 3 -(이)랑 ~と

59

친구 + 랑 → 친구랑
パッチム無

동생 + 이랑 → 동생이랑
パッチム有

A : 오늘 친구랑 영화 봐요 ?
B : 아니요 , 동생이랑 봐요 .

3) 会話を完成させて、話してみしょう。

例 A : 오늘 뭐 해요 ?
B : **가족이랑** 한국 식당에 가요 .  ( 가족 )
A : **맛있으면** 다음에 같이 가요 !  ( 맛있다 )

1 A : 한국 식당에서 뭐 먹어요 ?
B : 주로 ＿＿＿＿＿＿ 떡볶이를 먹어요 .  ( 김밥 )
A : 저는 한국 식당에 ＿＿＿＿＿＿ 비빔밥을 먹어요 .  ( 가다 )

2 A : 대학교에서 외국어를 배워요 ?
B : 네 , ＿＿＿＿＿＿ 영어를 배워요 .  ( 한국어 )
A : 시간이 ＿＿＿＿＿＿ 같이 공부해요 !  ( 있다 )

3 A : 누구랑 자주 만나요 ?
B : ＿＿＿＿＿＿ 자주 만나요 .  ( 동아리 친구 )
A : 그 친구를 ＿＿＿＿＿＿ 뭐 해요 ?  ( 만나다 )

4 A : 무슨 운동을 해요 ?
B : ＿＿＿＿＿＿ 요가를 해요 .  ( 테니스 )
A : 그래요 ? ＿＿＿＿＿＿ 다음에 같이 해요 !  ( 괜찮다 )

## 会話練習 II

농구 / 하다
수영 / 요가 / 배우다
운동 / 하다 / 밥 / 맛있다

리카 씨는 취미가 있어요?

네, 저는 농구를 해요.
서준 씨는요?

저는 요즘 수영이랑 요가를 배워요.
운동을 하면 밥이 맛있어요.

맞아요. 정말 그래요.

1

바이올린 / 켜다
피아노 / 기타 / 치다
악기 / 연주하다 / 마음 / 편안하다

2

드라이브 / 하다
산책 / 여행 / 하다
밖 / 나가다 / 기분 / 좋다

# 第 10 課　케이팝 그룹이에요 .

## - 예요 / 이에요　～です < 해요体 >　61

A : 누구예요 ?

B : 케이팝 그룹이에요 .

A : 멤버가 다 한국 사람이에요 ?

B : 아니요 , 한 명은 일본 사람이에요 .

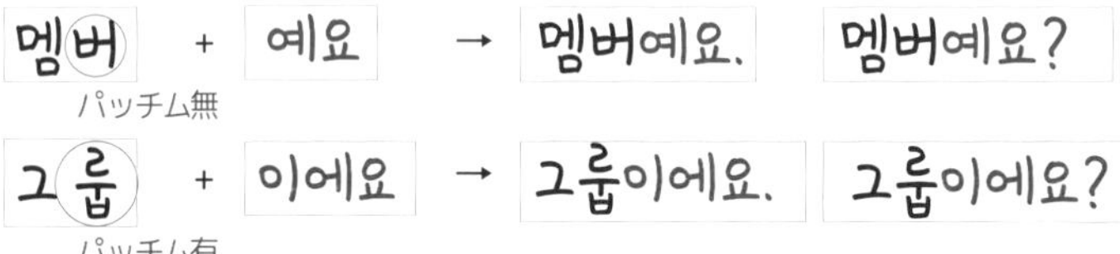

케이팝 그룹이에요 ?

네 , 케이팝 그룹이에요 .

1) 質問に相応しい答えを線で結びましょう。

| 누구 | 언제 | 어디 | 뭐 | 얼마 |
|---|---|---|---|---|

|  |  |
|---|---|
| ① 누구예요 ? | 일요일이에요 . |
| ② 언제예요 ? | 교과서예요 . |
| ③ 어디예요 ? | 학교예요 . |
| ④ 뭐예요 ? | 선생님이에요 . |
| ⑤ 얼마예요 ? | 15,000 원이에요 . |

2) 会話を完成させて、話してみましょう。

例 A : 이거 **얼마예요**? ( 얼마 )
B : **12,000 원이에요**. (12,000 원 )
요즘 **인기예요**. ( 인기 )

1 A : 이 사람이 ____________________? ( 누구 )
B : 제 ____________________. ( 친구 )
친구는 ____________________. ( 미국 사람 )

2 A : 소개팅이 ____________________? ( 언제 )
B : 다음 주 ____________________. ( 토요일 )
소개팅은 ____________________. ( 처음 )

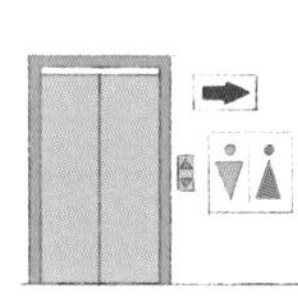

3 A : 화장실이 ____________________? ( 어디 )
B : ____________________. ( 2 층 )
엘리베이터 바로 ____________________. ( 옆 )

4 A : 다쿠미 씨 , 특기가 ____________________? ( 뭐 )
B : ____________________. ( 운동 )
그 중에서 ____________________. ( 핸드볼 )

## 会話練習 I

1
저분 / 누구 ?
저분 / 우리 선생님

2
서점 / 어디 ?
편의점 앞

3
그게 뭐 ?
수업 프린트 // 내일 / 시험

## - 아서 / 어서　～ので、～て

앉 다 + 아서 → 앉아서

먹 다 + 어서 → 먹어서

A : 벤치에 앉아서 밥을 먹어요 .
B : 공원에서 밥을 먹어서 좋아요 .

## - 고 있다　～ている

63

A : 지금 뭐 하고 있어요 ?
B : 영화를 보고 있어요 .

A : 어느 학교에 다니고 있어요 ?
B : 스타대학교에 다니고 있어요 .

3) 会話を完成させて、話してみましょう。

例 A : 지금 뭐 해요 ?
B : **<u>시험이 있어서 공부를 하고 있어요</u>** .
( 시험이 있다 . 그래서 공부하고 있다 .)

1 A : 지금 뭐 해요 ?
B : ______________________________.
( 수업이 있다 . 그래서 학교에 가고 있다 .)

2 A : 요즘 뭐 해요 ?
B : ______________________________.
( 케이팝을 좋아하다 . 그래서 한국어를 배우고 있다 .)

3 A : 오늘 뭐 해요 ?
B : ______________________________.
( 친구를 만나다 . 그래서 같이 노래방에 가다 .)

4 A : 주말에 뭐 해요 ?
B : ______________________________.
( 공원에 가다 . 그래서 축구를 하다 .)

# 会話練習 II

공원 / 학교
날씨가 좋다 / 산책하다
친구를 만나다 / 과제를 하다

리카 씨, 지금 어디예요?

공원이에요.

공원에서 뭐 하고 있어요?

날씨가 좋아서 산책하고 있어요. 서준 씨는요?

저는 학교예요.
오후에 친구를 만나서 과제를 해요.

1

백화점 / 집
겨울옷이 없다 / 쇼핑하다
누나가 오다 / 저녁을 먹다

2

은행 / 지하철역
돈이 필요하다 / 돈을 찾다
고등학교에 가다 / 선생님을 만나다

# 第 11 課　주말에는 안 먹어요 .

## 안 + 動詞／形容詞　～ない

65

A : 매일 학교 식당에서 먹어요 ?
B : 아니요 , 주말에는 안 먹어요 .

A : 찌개가 짜요 ?
B : 아니요 , 안 짜요 . 맛있어요 .

| | | | | | | |
|---|---|---|---|---|---|---|
| | | 먹다 | → | 안 먹다 | 안 먹습니다 | 안 먹어요 |
| 안 | + | 짜다 | → | 안 짜다 | 안 짭니다 | 안 짜요 |
| | | 좋아하다 | → | 안 좋아하다 | 안 좋아합니다 | 안 좋아해요 |

식사 ∨안 하다 → 식사 안 하다　식사 안 합니다　식사 안 해요

좋아해요 ?

아니요 , 안 좋아해요 .

식사해요 ?

아니요 , 식사 안 해요 .

1) 会話を完成させて、話してみましょう。

例 A : 우유를 마셔요 ?
B : 아니요 , 저는 우유를 **안 마셔요**. ( 마시다 )
우유를 마시면 속이 **안 좋아요**. ( 좋다 )

1 A : 선배 생일 선물을 사요 ?
B : 아니요 , 선물을 ______________________. ( 사다 )
그 선배는 생일 선물을 ______________________. ( 받다 )

2 A : 주로 집에서 공부해요 ?
B : 아니요 , 집에서 ______________________. ( 공부하다 )
집에서는 책을 잘 ______________________. ( 읽다 )

3 A : 수업 시간에 뒤에 앉아요 ?
B : 아니요 , 뒤에 ______________________. ( 앉다 )
뒤에 앉으면 글자가 잘 ______________________. ( 보이다 )

4 A : 우동을 안 좋아해요 ?
B : 네 , 별로 ______________________. ( 좋아하다 )
면 요리는 잘 ______________________. ( 먹다 )

## 会話練習 I

1 신발 / 작다 ?　　아니요 , 작다 X

2 저 식당 / 비싸다 ?　　아니요 , 별로 비싸다 X

3 지금 남자 친구 / 생각하다 ?　　아니요 , 생각하다 X

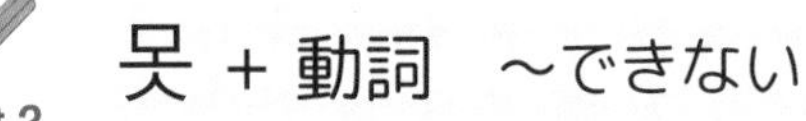


Point 2

## 못 + 動詞　～できない

▶ 66

| | | | | | |
|---|---|---|---|---|---|
| 못 + | 가다 | → | 못 가다 | 못 갑니다 | 못 가요 |
| | 먹다 | → | 못 먹다 | 못 먹습니다 | 못 먹어요 |

식사 (못) 하다 → 식사 못 하다　식사 못 합니다　식사 못 해요

A : 내일 신주쿠에 가요 ?
B : 아니요, 약속이 있어서 못 가요 .

A : 같이 식사해요 !
B : 미안해요 . 오늘은 못 해요 .

Point 3

## - 에게 / 한테　～（人や動物）に

▶ 67

A : 누구한테 (에게) 편지를 보내요?
B : 친구한테 (에게) 보내요 .

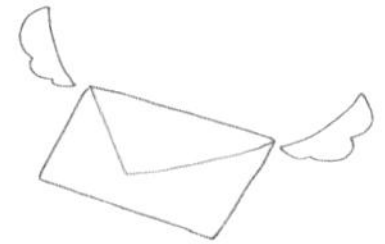

2) 会話を完成させて、話してみましょう。

例 A :　저는 사진을 잘 **못 찍어요 .**　( 찍다 )
B :　그럼 저 **선배한테** 부탁해요 !　( 선배 )

① A : 다음 주에 대회가 있어서 ____________.　( 오다 )
B : 그럼 ______________ 메일을 보내요 !　( 선생님 )

② A : 저는 요리를 잘 __________.　( 하다 )
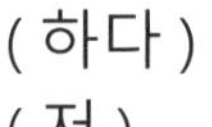
B : 그럼 __________ 맡겨요 !　( 저 )

③ A : 사과 주스를 ________________.　( 마시다 )

B : 그럼 ________________ 줘요 !　( 서준 씨 )

④ A : 저는 ______________________.　( 수영하다 )

B : 그럼 ______________________ 배워요 !　( 강사 )

## 会話練習 II

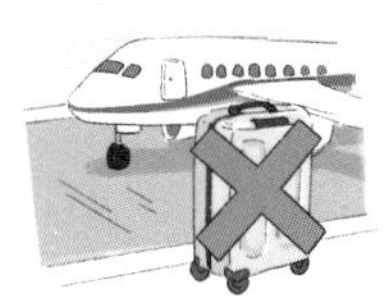

여행을 가다
날씨가 좋다 / 비행기가 출발하다
저 / 전화하다

리카 씨, 여행을 가요?

아니요, 못 가요.

왜 못 가요?

날씨가 안 좋아요.
그래서 비행기가 출발 못 해요.

아, 필요하면 저한테 전화해요!

1

지금 메일을 보내다
와이파이가 좋다 / 인터넷을 하다
선생님 / 말하다

2

축구를 하다
컨디션이 좋다 / 운동하다
매니저 / 연락하다

# 第 12 課　동영상을 보면서 만들어요 .

## Point 1　ㄹ 語幹の用言

① ㄹ語幹 +(으) を持つ語尾類 → (으) 付けない。

② ㄹ語幹 + ㄴ , ㅅ , ㅂ , ( パッチム ) ㄹで始まる語尾類 → ㄹ 脱落する。

1) 例にならって書いてみましょう。

| | | |
|---|---|---|
| 例 놀다 ( 遊ぶ ) | 놀면 | 놉니다 |
| ① 만들다 ( 作る ) | | |
| ② 멀다 ( 遠い ) | | |
| ③ 달다 ( 甘い ) | | |
| ④ 울다 ( 泣く ) | | |

## Point 2　-(으)면서　～ながら

▶ 69

A : 이거 어떻게 만들어요 ?

B : 동영상을 보면서 만들어요 .

2) 会話を完成させて、話してみましょう。

例 A : 주말에 뭐 해요 ?
B : 주로 **고양이와 놀면서 집에서 쉽니다** .
( 고양이와 놀다 . 집에서 쉬다 .)

1 A : 저 가수 기타도 쳐요 ?
B : 네 , 가끔 ______________________ .
( 기타를 치다 . 노래하다 .)

2 A : 디저트 맛이 어때요 ?
B : ______________________ .
( 달다 . 맛있다 .)

3 A : 지금 친구 집에 있어요 ?
B : 네 , 친구 집에서 ______________________ .
( 컵케이크를 만들다 . 놀다 .)

4 A : 하루 씨 동생 시험 합격이에요 ?
B : 네 , 그래서 지금 ______________________ .
( 울다 . 엄마한테 전화를 걸다 .)

## 会話練習 I

1

뭐 하다 ?

친구 / 기다리다 / 게임하다

2

저분 / 친절하다 ?

네 , 항상 웃다 / 인사하다

3

요즘 어떻게 지내다 ?

친구들 / 놀다 / 잘 지내다

## Point 3 - 하고 ～と

70

A : 누구하고 같이 살아요 ?
B : 쉐어하우스에서 친구하고 살아요 .

## Point 4 -(으) 로 ～で（手段・方法)、～へ（方向)

71

버스로

한국으로

서울로

온천까지는 버스로 한 시간 걸려요 .
이번 방학에 한국으로 여행을 가요 .

3) 会話を完成させて、話してみしょう。

例 A : 학교에 어떻게 와요 ?
B : **자전거하고** **지하철로** 와요 . ( 자전거 , 지하철 )

1 A : 발표 슬라이드를 어떻게 만들어요 ?
B : ________ __________ 만들어요 . ( 워드 , 파워포인트 )

2 A : 이 호텔은 어떻게 예약해요 ?
B : ________ __________ 예약해요 . ( 전화 , 인터넷 )

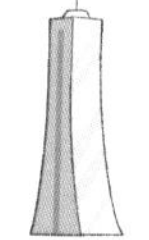

3 A : 이 그림은 어떻게 그려요 ?
B : ________ __________ 그려요 . ( 태블릿 , 펜슬 )

4 A : 내일 어디로 가요 ?
B : ________ __________ 가요 . ( 친구 , 학교 )

## 会話練習 II

동영상을 보다
종이 / 크레파스
크레파스 / 얼굴 / 그리다

이거 어떻게 만들어요?

동영상을 보면서 만들어요.

뭐로 만들어요?

종이하고 크레파스예요.

크레파스로 얼굴을 그려요?

네, 맞아요.

1

인터넷에서 레시피를 찾다
사과 / 파인애플
파인애플 / 데코레이션 / 하다

2

오빠(형)한테 전화를 걸다
태블릿 / 이 애플리케이션
이 앱 / 편집 / 하다

# 第 13 課 한복을 입을 수 있어요 ?

## -(으)ㄹ 수 있다/ 없다 ～ことができる／できない

A : 자전거를 탈 수 있어요 ?

B : 네 , 탈 수 있어요 .

A : 혼자 한복을 입을 수 있어요 ?

B : 네 , 입을 수 있어요 .

그런데 한복을 입으면 잘 놀 수 없어요 .

탈 수 있어요 .

탈 수 없어요 .

입을 수 있어요 .

입을 수 없어요 .

놀 수 있어요 .

놀 수 없어요 .

1) 会話を完成させて、話してみましょう。

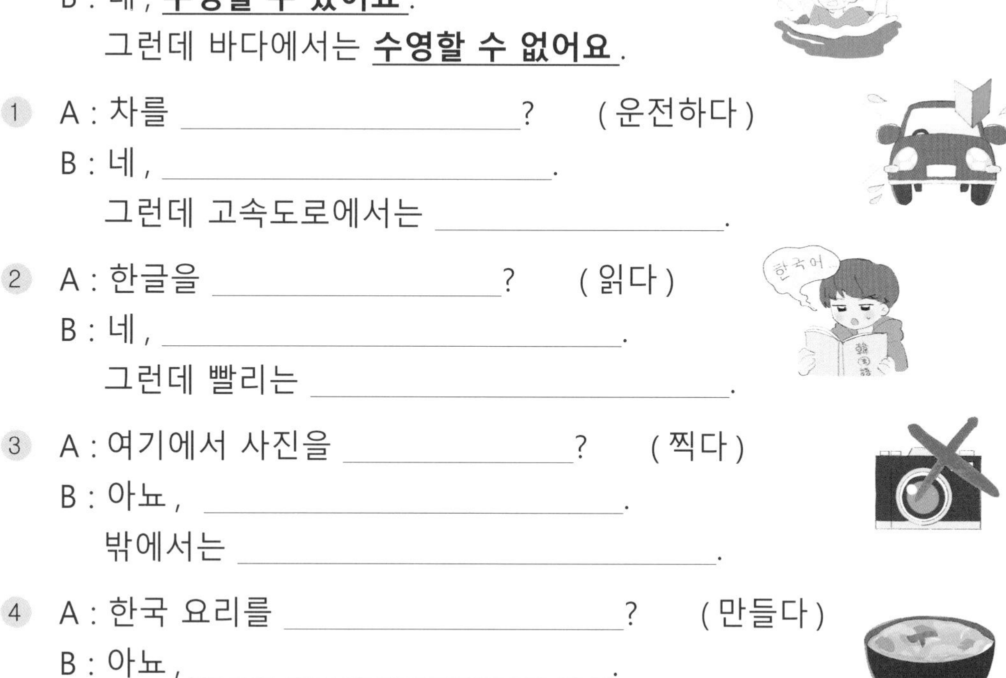

例 A : **수영할 수 있어요**? ( 수영하다 )
B : 네 , **수영할 수 있어요**.
그런데 바다에서는 **수영할 수 없어요**.



① A : 차를 ________________? ( 운전하다 )
B : 네 , ________________.
그런데 고속도로에서는 ________________.

② A : 한글을 ________________? ( 읽다 )
B : 네 , ________________.
그런데 빨리는 ________________.

③ A : 여기에서 사진을 ________________? ( 찍다 )
B : 아뇨 , ________________.
밖에서는 ________________.

④ A : 한국 요리를 ________________? ( 만들다 )
B : 아뇨 , ________________.
일본 요리는 조금 ________________.

## 会話練習Ⅰ

① 잠깐 이야기하다 ? 　 네 , 괜찮다

② 내일 저녁 / 만나다 ? 　 네 , 좋다

③ 다음 주 / 같이 놀다 ? 　 미안하다 // 약속 / 있다

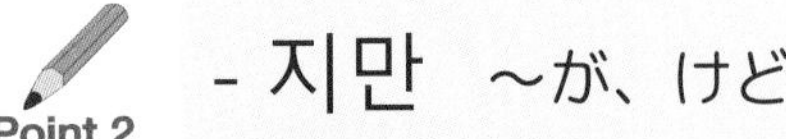

## Point 2 - 지만 ～が、けど

74

A : 한글을 읽을 수 있어요 ?
B : 아뇨 , 관심은 있지만 못 읽어요 .

2) 会話を完成させて、話してみましょう。

例 A : 한국어 공부 재미있어요 ?
B : 네 , 조금 **<u>어렵지만</u>** 재미있어요 . ( 어렵다 )
스테판 씨는 한국어를 공부해요 ?
A : 저는 케이팝을 **<u>좋아하지만</u>** 공부는 안 해요 . ( 좋아하다 )

1 A : 요즘 어떻게 지내요 ?
B : 조금 ________________ 잘 지내요 . ( 바쁘다 )
준나 씨는 어떻게 지내요 ?
A : 날씨가 조금 ________________ 잘 지내요 . ( 춥다 )

2 A : 내일 학교에 가요 ?
B : 네 , 수업은 ________________ 약속이 있어서 가요 . ( 없다 )
서준 씨는 학교에 가요 ?
A : 저는 ________________ 소타 씨는 가요 . ( 안 가다 )

3 A : 한국어로 노래할 수 있어요 ?
B : 노래는 ________________ 좋아해요 . ( 못하다 )
웨이 씨는 한국어로 노래할 수 있어요 ?
A : 조금 ________________ 잘 못해요 . ( 할 수 있다 )

4 A : 즈엉 씨한테 전화를 걸고 있어요 ?
B : 네 , ________________ 안 받아요 . ( 걸고 있다 )
계속 전화를 걸어요 ?
A : 아뇨 , 조금 ________________ 괜찮아요 . ( 걱정되다 )

## 会話練習 II

초밥을 좋아하다
초밥을 먹다
약속이 있다

서준 씨, 초밥을 좋아해요?
네, 좋아해요.
그럼, 내일 같이 초밥을 먹을 수 있어요?
미안해요. 내일은 약속이 있어요.
다음 주는 괜찮아요?
네, 다음 주는 같이 먹을 수 있어요.

1

테니스를 좋아하다
테니스를 치다
수업이 많다

2

김치찌개를 좋아하다
김치찌개를 만들다
야구 시합이 있다

# 第 14 課　이 공연을 보십니까 ?

## -(으)시다　用言の尊敬形

▶ 76

A : 선생님 , 안녕하십니까 ?

B : 안녕하세요 ? 리카 학생 .

A : 선생님도 이 공연을 보십니까 ?

A : 자리를 찾으세요 ?

B : 네 , 자리를 찾고 있어요 .

| 語幹 | 語尾 | + |  | → |  |  |  |
|---|---|---|---|---|---|---|---|
| 보 | 다 | + | 시다 | → | 보시다 | 보십니다 | 보세요 |
| パッチム無 |  |  |  |  |  |  |  |
| 찾 | 다 | + | 으시다 | → | 찾으시다 | 찾으십니다 | 찾으세요 |
| パッチム有 |  |  |  |  |  |  |  |
| 살 | 다 | + | 으시다 | → | 사시다 | 사십니다 | 사세요 |
| パッチム ㄹ |  |  |  |  |  |  |  |

어디에 사세요 ?

도쿄에 살아요 .

＊ 特殊な尊敬語

| | | | | |
|---|---|---|---|---|
| 있다 | → | 계시다 | 계십니다 | 계세요 |
| 먹다 / 마시다 | → | 드시다<br>잡수시다 | 드십니다<br>잡수십니다 | 드세요<br>잡수세요 |
| 자다 | → | 주무시다 | 주무십니다 | 주무세요 |

1) 会話を完成させて、話してみましょう。

例 A : 사장님은 언제 **오세요**? （오다）
B : 한 시간 후에 **오십니다**.

① A : 저 선생님은 뭐를 ______________________? （가르치다）
B : 과학을 ______________________.

② A : 이 손님은 어디에 ______________________? （앉다）
B : 제일 뒤에 ______________________.

③ A : 어머니가 한국에 대해 잘 ______________________? （알다）

B : 네, 한국 문화를 잘 ______________________.

④ A : 사장님도 초밥 ______________________? （먹다）
B : 네, 아주 잘 ______________________.

## 会話練習 I

①
저분 / 알다 ?
네, 우리 학교 / 일하다

②
오늘 고향 / 가다 ?
네, 고향 / 할머니 / 있다

③
그 선생님 / 수업 후 / 질문 / 받다 ?
네, 질문 / 받다 // 친절하게 설명하다

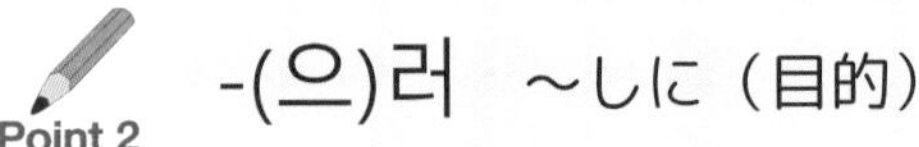

## Point 2 -(으)러 ～しに（目的）

▶ 77

A : 어디에 가요 ?
B : 도서관에 책을 빌리러 가요 .

| | | | | |
|---|---|---|---|---|
| 빌리 다<br>パッチム無 | + | 러 | → | 빌리러 |
| 찾 다<br>パッチム有 | + | 으러 | → | 찾으러 |
| 놀 다<br>パッチム ㄹ | + | 으러 | → | 놀러 |

2) 会話を完成させて、話してみましょう。

例 A : 어디에 가세요 ?
B : **돈을 찾으러** 은행에 가요 . ( 돈을 찾다 )

스테판 씨는 어디에 가세요 ?
A : **산책하러** 공원에 가요 . ( 산책하다 )

1 A : 내일 뭐 하세요 ?
B : ________________ 요코하마에 가요 . ( 친구를 만나다 )

즈엉 씨는 뭐 하세요 ?
A : 저는 언니랑 ________________ 가요 . ( 쇼핑하다 )

2 A : 요즘 어떻게 지내세요 ?
B : 프로그래밍을 ________________ 다녀요 . ( 배우다 )

준나 씨는 어떻게 지내세요 ?
A : 여기저기 ________________ 다녀요 . ( 사진을 찍다 )

3 A : 오늘 동생이 오세요 ?
B : 네 , 저랑 같이 ________________ 와요 . ( 살다 )
리카 씨도 형제가 있으세요 ?
A : 네 , 남동생이 한 명 있어요 .

다음 주에 ________________ 와요 . ( 놀다 )

## 会話練習 II

사장님 / 출장을 가다?
엑스포에 참가하다 / 부산에 가다
잘 다녀오시다

사장님이 출장을 가세요?

네, 엑스포에 참가하러 부산에 가세요.

리카 씨도 같이 참가하세요?

네, 저도 같이 참가해요.

그럼 잘 다녀오세요.

1

할머니 / 내일 오다?
설날 음식을 만들다 / 우리 집에 오다
맛있게 드시다

2

할아버지 / 요즘 잘 지내다?
봉사 활동을 하다 / 여기저기 다니다
다음에는 저한테도 연락하시다

# 第 15 課　수업이 끝났어요 .

## Point 1　- 았다 / 었다　用言の過去形

▶ 79

A : 이번 학기 수업이 다 끝났어요 .
　한국어 공부 재미있었어요 ?
B : 네 , 정말 좋았습니다 .
　그리고 많이 배웠습니다 .

A : 언제 도착했어요 ?
B : 조금 전에 왔어요 .

| | | | | | | |
|---|---|---|---|---|---|---|
| 좋 다 | + | 았다 | → | 좋았다 | 좋았습니다 | 좋았어요 |
| 재미있 다 | + | 었다 | → | 재미있었다 | 재미있었습니다 | 재미있었어요 |
| 도착하 다 | + | 하였다 | → | 도착하였다 | 도착하였습니다 | 도착하였어요 |
| | | 했다 | → | 도착했다 | 도착했습니다 | 도착했어요 |

좋았어요 ?　　네 , 좋았어요 .

재미있었어요 ?　　네 , 재미있었어요 .

도착했습니까 ?　　네 , 도착했습니다 .

1) 会話を完成させて、話してみましょう。

例 A : 지난 주말에 뭐 **했어요**? ( 하다 )

B : 뮤지컬을 보러 **갔습니다**. ( 가다 )

1 A : 주말에 캠핑 잘 ______________? ( 다녀오다 )

B : 네 , 오랜만에 ______________. ( 힐링을 하다 )

2 A : 중학교 때는 어디에 ______________? ( 살다 )

B : 할머니 집에서 같이 ______________. ( 지내다 )

3 A : 미안해요 . 많이 ______________? ( 기다리다 )

B : 아니요 , 저도 조금 전에 ______________. ( 오다 )

4 A : 캐나다 날씨가 ______________? ( 좋다 )

B : 네 , 생각보다 ______________. ( 따뜻하다 )

## 会話練習 I

1 어제 야구 / 이기다 ?

아니요 , 지다

2 지난주 / 숙제 / 많다 ?

네 , 정말 많다

3 수학여행 / 어디 / 가다 ?

교토 / 나라 / 가다

## Point 2 - 였다 / 이었다 指定詞の過去形

⊙ 80

| | | | | | | |
|---|---|---|---|---|---|---|
| 교사 + (パッチム無) | 였습니다 | → | 교사였습니다 | 가 아니었습니다 | → | 교사가 아니었습니다 |
| | 였어요 | → | 교사였어요 | 가 아니었어요 | → | 교사가 아니었어요 |
| 모델 + (パッチム有) | 이었습니다 | → | 모델이었습니다 | 이 아니었습니다 | → | 모델이 아니었습니다 |
| | 이었어요 | → | 모델이었어요 | 이 아니었어요 | → | 모델이 아니었어요 |

A : 중학교 때 꿈이 뭐였어요 ?
B : 교사였어요 .

A : 중학교 때 꿈이 모델이었습니까?
B : 아니요 , 모델이 아니었습니다 .

## Point 3 - 고 싶다 ～たい

A : 한국에 가서 뭐 하고 싶어요 ?
B : 전주에 가고 싶어요 . 거기서 비빔밥을 먹고 싶어요 .

2) 会話を完成させて、話してみましょう。

例 A : 지수 씨 , 고등학교가 **어디였어요** ? ( 어디 )
B : **도쿄였어요** . ( 도쿄 )
고등학교 친구들을 **만나고 싶어요** . ( 만나다 )

1 A : 그 영화 주인공이 ____________? ( 누구 )
B : ____________. ( 일본 배우 )
그 배우 영화를 더 ____________. ( 찾아보다 )

2 A : 어제 저녁 메뉴가 ____________? ( 뭐 )
B : ____________. ( 파스타 )
오늘 저녁에는 김밥을 ____________. ( 먹다 )

3 A : 영어 시험이 ____________? ( 언제 )
B : ____________. ( 화요일 )
아 ~, 시험을 다시 ____________. ( 보다 )

4 A : 지금까지 최고의 여행지가 ____________? ( 어디 )
B : ____________. ( 서울 )
졸업하면 서울에서 ____________. ( 살다 )

# 会話練習 II

例

야구를 보러 가다 / 혹시 옛날에 야구를 하다?
제 꿈이 야구 선수이다.
같이 보러 가다.

리카 씨 주말에 뭐 했어요?

야구를 보러 갔어요.

혹시 옛날에 야구를 했어요?

네, 제 꿈이 야구 선수였어요.

그래요? 저도 같이 보러 가고 싶어요.

1

하코네로 드라이브를 가다 / 코스가 괜찮다?
경치가 최고이다
운전을 배우다

2

겨울 방학 계획을 세우다 / 벌써 방학하다?
우리 학교는 지난주부터이다
방학 동안 많이 놀다

**各課の会話文の和訳および練習問題の解答は、**

QR コードをスキャンするとご確認いただけます。

## 著者紹介

金 庚芬 (明星大学教育学部教育学科教授), 尹 秀美 (福岡大学人文学部東アジア地域言語学科准教授)

Begin To Study KOREAN 1

発 行 日 2023年12月25日

著　　者 金庚芬・尹秀美

発 行 人 中嶋 啓太

発 行 所 博英社

〒 370-0006 群馬県 高崎市 問屋町 4-5-9 SKYMAX-WEST

TEL 027-381-8453 / FAX 027-381-8457

E･MAIL hakueisha@hakueishabook.com

HOMEPAGE www.hakueishabook.com

ISBN 978-4-910132-35-8

© 金 庚芬・尹 秀美, 2023, Printed in Korea by Hakuei Publishing Company.

* 乱丁・落丁本は、送料小社負担にてお取替えいたします。

* 本書の全部または一部を無断で複写複製(コピー)することは、著作権法上での例外を除き、禁じられています。

定　　価 1,980円(本体 1,800円)